POBOL FEL NI

D0713632

Glenys Pritchard

Gwasg Gee

ISBN 0 7074 0210 7

Gan yr un awdur:
TRAI A LLANW (1985)
CYN NOSWYLIO (1988)
BLWYDDYN O RYDDID (1990)

Dymuna'r Cyhoeddwyr gydnabod cymorth a chyfarwyddyd Adran Olygyddol y Cyngor Llyfrau Cymraeg a noddir gan Gyngor Celfyddydau Cymru.

Argraffwyr a Chyhoeddwyr:
GWASG GEE, DINBYCH, CLWYD

ER COF AM

MARY PRITCHARD

CYFLWYNIAD

Gŵyr ei darllenwyr fod Glenys Pritchard yn llenor diddorol, nid yn unig oherwydd ei sylwgarwch mân a manwl ond hefyd am mai perthynas pobl â'i gilydd yng nghylch cartref a chymdeithas yw sail y sylwi hwnnw. Nid digwyddiadol yw'r troeon yn ei storïau ond dehongliadol o natur y cymeriadau. Is yr wyneb ceir dyfnder myfyrdod, ond nid byth ar draul arddull nac eglurder.

Prawf o'm barn am ei gwaith yw imi wobrwyo un o'r storïau hyn yn Eisteddfod Dyffryn Conwy, a chyflwyno iddi Goron Eisteddfod Llandegfan, Môn, am bryddest.

Bu croeso mawr i'w llyfrau, a gwn mai dyna sydd yn aros y casgliad hwn hefyd.

DAFYDD OWEN

DIOLCHIADAU

I'r Cyngor Llyfrau Cymraeg.

I'r Prifardd Dafydd Owen am ei eiriau caredig.

I'r nofelydd Eigra Lewis Roberts am ddyfarnu'r stori fer hir 'Teulu'r Hendre' yn fuddugol yng nghystadleuaeth y Goron yn Eisteddfod Môn, 1987.

I'r Athro Bedwyr Lewis Jones am wobrwyo 'Y Corwynt' yn Eisteddfod Y Talwrn, Môn.

I Mr Haydn Thomas am ei gefnogaeth barod.

I Mrs Meinir Pierce Jones am adolygu'r gwaith.

I Mr Emlyn Evans a Mr Alun Williams, Gwasg Gee.

I Mrs Eirlys Jones a Miss Gillian Evans am deipio.

TEULU'R HENDRE

Gwyddwn fisoedd cyn i Tim farw fod holl gyfnodau'r gwae ynglŷn â chadw'r Hendre wedi mynd yn drech na mi ac mai rheidrwydd fyddai cael gwared â'r lle yn y dyfodol agos.

Ond 'fedrwn i wneud dim pendant cyn iddo farw . . .

Bu Tim farw ar y nawfed ar hugain o fis Mawrth y llynedd — Sul y Pasg. Funudau cyn hanner dydd daeth yr hun olaf i drem ei lygaid. Cofiaf i mi gydio yn ei ddwylo'n dynnach fel pe bawn yn cyflwyno nerth i'w gynnal ar ei daith neu yn ei gwymp eithaf o'r naill fyd i'r llall. Wedyn sylwais ar yr heulwen yn chwarae'n wawdlyd o gwmpas ei wyneb a gwyddwn fod Tim wedi mynd, wedi llithro i'r distawrwydd pell sy' mor agos. 'Roedd y bachgen wedi mynd yn dawel yn y diwedd, ac efallai'n annisgwyl.

Gadewais fy nwy law fel cwlwm dros ei ddwylo a 'fedrwn i ddim tynnu fy llygaid oddi ar yr heulwen, a oedd erbyn hynny'n dinoethi ei wyneb heb dosturi o gwbl. Yna edrychais allan drwy'r ffenest. Ymlwybrai'r goleuni yn fain ac yn syth tuag ato o rwygiad cul yn y cwmwl anferth a edrychai'n is na thŵr eglwys y dyffryn o'r stafell fechan yn yr ysbyty unedol ble safwn i. Efallai fy mod wedi symud fy mhen pan gefais innau fy nallu, neu hwyrach bod y pelydrau gwynion yn parhau i chwilota amdanom ein dau tra oedd cloc yr eglwys yn taro, yn taro deuddeg trwm a dwys dros farwolaeth

11

dyn ifanc a thros freuder fy saithdegau. A thros alar fy ngobeithion. Diflannodd yr heulwen a dychwelodd y caddug a oedd wedi bod yn gefn blwng i oerni barrug ac yn gynefin brwnt i Tim a minnau bron bob prynhawn yn yr ystafell fechan o ddiwedd Ionawr hyd ddiwedd Mawrth.

Bob prynhawn ond prynhawn Gwener a phrynhawn Sul. Eiddo Mem oedd y rhai hynny.

'Roedd Tim wedi hiraethu am lewyrch gwan o obaith, am heulwen deg i'w atgoffa fod poen geni pob gwanwyn yn derbyn rhyddid a rhyddhad o bangfeydd angau pob gaeaf.

Wythnosau ynghynt, wedi iddo roi'r gorau i feddwl am adferiad, ac ar ôl i'w hyder am wyrth grino a chyn i flinder ei drechu'n lân, cyn i'w lais gyrraedd diwedd brawddeg fer, dywedodd, 'Gan mai mynd sy' raid, Modryb, mi hoffwn i fynd gyda'r gaeaf, mewn storm o wynt a glaw trwm. Mi fyddai'n haws ffarwelio mewn tymestl . . . yn sydyn ac yn ddirybudd . . . fel y byddai hen long hwylio'n suddo erstalwm.'

'Roedd ffynnon fy nagrau'n parhau i gael ei diwallu yn y dyddiau hynny ac ambell dro gallai torri gair ddenu dilyw i bistyllio dros fy ngruddiau neu lwyddo i ffwndro f'ymatebion, felly 'ddywedais i ddim. Yn sydyn wedyn edrychodd arnaf a gofyn, ' 'Ydach chi'n dal i gredu bod yna Dduw?'

'Roedd ei fysedd yn oeri ac yn mynd yn llipa o dan fy nwylo. Edrychais ar ei wyneb llwydaidd yn gwynnu fwyfwy a gwyddwn y dylwn fynd i ddweud wrth y staff fod Tim wedi marw. Ond fy munudau olaf ag etifedd yr Hendre oedd y rhai hyn a'm braint olaf oedd mynd dros ein hymgom arbennig. Ein cymundeb . . .

Gan nad oeddwn wedi credu yn ein Duw nac mewn dyn am dri mis, anodd rhoi atebiad iddo. Ac eto anodd hefyd oedd gwadu bodolaeth Duw yn un o oriau cyfyng Tim, a mwy anodd byth am fod ei rieni a minnau wedi ei ddwyn i fyny yn y traddodiad Cristnogol. Teimlwn fod f'ymdrechion yn cwympo ac yn chwalu yn gris-groes o amgylch y fan lle'r eisteddwn gan atseinio drwy'r bwlch, hyd llathen, a oedd rhyngom. Ceisiais gadw fy llais yn undonog, yn amhleidiol : 'Gen ti mae'r wybodaeth, Tim bach. 'Rwyt ti wedi derbyn addysg eang. Dim ond profiad sy' gen i, ac mi 'rwyt ti wedi chwerthin ganwaith am fod fy mhrofiad, fel finnau, mor hen ffasiwn.'

Cythruddodd ar hynny. 'Gofyn a oeddech chi'n dal i gredu wnes i.'

Er mawr syndod i mi fy hun adroddais,

> 'Trwy ddirgel ffyrdd mae'r uchel Iôr
> Yn dwyn ei waith i ben . . .'

Atebodd Tim, a'i lais yn ergydio'n enbyd, 'Ac mae Duw, os oes yna Dduw, yn taro un i lawr â chyflymder taran neu awyren. Concorde. Y bom . . .'

Wedyn edrychodd yn fud ar y nenfwd ac 'roedd yna rywbeth rhyfeddol yn y distawrwydd hwnnw. Dychmygais ein bod ein dau yn anadlu'r tawelwch hwnnw a bod ein heneidiau'n derbyn cysur a oedd yn werthfawr ac yn brin ac yn bwysig. Cysur y cynhaeaf gwin . . .

Dywedodd Tim, 'Na farna Dduw â'th reswm noeth . . .' Ac yna, ' 'Ydach chi wedi cael mwy o wybodaeth nag ydw i wedi'i gael?'

' 'Does neb wedi deud dim wedyn, Tim.'

'Mi hoffwn i fynd yn fuan, cyn tymor cynnes cawodydd Ebrill, cyn i'r wennol ddychwelyd yma, a chyn i'r gog ganu. Cyn i'r coed a'r llwyni ddadebru. Mi fyddai'n haws marw cyn i fyd natur ddechrau byw a disgleirio . . .'

Dymunais am farwolaeth iddo. Marwolaeth sydyn : seren wib yn cwympo dros Dwyn Gwyn ac yn syth i ddawns werin

Môr Iwerddon; clep drws y cefn drwy gegin yr Hendre; clindarddach Taid yn gollwng ei gwpan a'r te'n gwasgaru dros liain y bwrdd dydd Sul ac yn llifo tuag at y pregethwr. 'Doedd yna ddim diwedd i'm dymuniadau.

Yna gweddïais ddydd a nos. Na, efallai nad gweddïo a wneuthum — nid yn barchus ar fy ngliniau fel y dylwn. Yn hytrach na'r hen firi hwnnw llenwais yr oriau â mân siarad â Duw, neu â rhywun, neu â neb, hyd yn oed tra golchwn y llestri a thra bwydwn yr ieir neu daflu briwsion i'r adar. Do, aeth parablu'n ddi-daw yn obsesiwn.

Tynnais fy nwylo'n araf deg tuag ataf a chodais o'm cadair. Wedi i mi sythu ceisiais gau ei lygaid ond ymhen eiliad 'roeddynt eto'n llydain agored. Dau ddarlun bychan o foroedd gleision a llanw o syndod newydd . . .

Pan agorais ddrws ei ystafell clywais gloc yr eglwys yn taro'r chwarter awr.

'Roedd Sister Parry a Nyrs Staff Jones yn y swyddfa. Safai'r Chwaer o dan y golau hirfain a oedd bron yr un lled â'r nenfwd. 'Roeddwn i wedi sylwi laweroedd o weithiau ei bod hi bob amser yn edrych yn ddeniadol yn ei dillad swyddogol o dan y goleuni treiddgar. 'Roedd yna hefyd fantell o gadernid drosti a gwyddwn nad oedd yn rhyfedd o gwbl fod Tim wedi ymddiried cymaint ynddi.

'Fedrwn i ddim dod dros y ffaith 'mod i wedi derbyn gradd o ollyngdod ac o hunanfeddiant wrth groesi o stafell Tim i'r swyddfa. Dywedais yn dawel, 'Mae Tim wedi mynd, Sister. Mae'n siŵr eich bod chi'n gwybod ei fod o ar fynd pan oeddech ar y ffôn awr a hanner yn ôl . . .'

'Eisteddwch yn y gornel 'na, Miss Davies,' meddai. ' 'Rwy'n gorffen hanner awr wedi hanner, mi a 'i â chi adre. Ond beth am baned gynta?'

'Na, peidiwch â thrafferthu.'

Paned, meddyliais; sawl paned fydd raid i mi ei hyfed cyn dydd y cynhebrwng.

'Dim trafferth o gwbl.'

Aeth y Nyrs Staff allan o'r swyddfa gan ddweud, 'Mi wna' i'r trefniadau, Sister.'

'O'r gore, Staff, ac anfonwch un o'r genod efo'r te i Miss Davies.' Trodd ataf a dweud, ' 'Fydda' i ddim yn hir ond helpwch eich hun i'r te os na fydda' i'n ôl.'

'Diolch, Sister.'

Gwrandewais ar sŵn ei thraed yn diflannu a gwyddwn ei bod hi'n anelu ei chamre i gyfeiriad ystafell Tim. 'Roedd yna elfen gref o ddwyster yn sŵn y traed, y dwyster pell yr oeddwn wedi ei glymu'n dynn ac yn daclus dros boen ddoe. Y ddoe cïaidd a oedd yn naw mis oed. Diwrnod y newyddion. Y newyddion drwg a fu'n ennyn yr anniddigrwydd a daniodd yr anesmwythyd. Naw mis . . . Wrth gwrs, dyna oedd y ffordd yr oeddwn wedi bod yn teimlo, yn feichiog o boen ac o anesmwythyd ac anwybodaeth a rhithyn o warth — a siom. Yn sicr 'roedd gwarth a siom yn fwy na dim, a bod yn onest, cyn i mi ddeall, cyn i mi hanner-deall yn y lle cyntaf. Cyn i wawr gwybodaeth dorri a chyn i'r sglein fach ddwl oleuo dealltwriaeth. Cyn i mi deimlo poen Tim yn hytrach na chydymdeimlo â mi fy hun.

Dywedodd y nyrs, 'Dyma'r te, Miss Davies.'

'Diolch yn fawr, Nyrs.'

Mor anodd oedd deall hyd yn oed ar ôl yr holl egluro amyneddgar ar ran y meddygon a Sister Parry. Ac mor anodd oedd mynd adref droeon a thrio ail-egluro wrth Mem, a hithau'n edrych arnaf fel pe bawn yn drysu, yn gwallgofi'n ddiniwed 'run fath â'r Jac hwnnw gantoedd a chantoedd ynghynt ar lannau Afon Alaw. A minnau'n gwylio'r anghrediniaeth yn lledu drwy lygaid Mem ac yna'n cilio i wneud lle i'r direidi a lechai'n fythol yn eu dyfnderoedd tywyll. A minnau'n gwybod beth oedd yn mynd drwy ei meddwl yn chwaraegar am fy nychymyg : mae syniadau Mati wedi cymryd hynt dros ben yr Wyddfa neu wedi mynd yn deilchion o'r diwedd. 'Chlywais i 'rioed y fath stori â hon ! Pwy sy'n mynd i goelio lol fel hyn? Dim ond Mati fuasai'n camddeall neu'n cymysgu popeth a ddywedwyd wrthi yn yr ysbyty am Tim a'i waed. AIDS wir, beth mae hi'n wybod am AIDS? Rhywbeth sy'n cael ei drafod ar y teledu ydy AIDS. Rhywbeth rhyfedd fel rhan o'r rhaglen *Tomorrow's World*. Mae Mati wedi mwydro, yn y ffordd wamal y mae hi'n mwydro pawb pan yw'n amser llenwi ffurflen y Dreth Incwm, cyn gwneud stomp flynyddol o bisyn o bapur.

'Roeddwn i'n dal i feddwl am ymatebion Mem drwy'r misoedd ac am ddiffygion ei dirnadaeth ynglŷn â'r gwaeledd erchyll pan ddychwelodd Sister Parry.

'Yn wir mae golwg flinedig arnoch, Miss Davies, fe wnaiff paned les i chi.'

' 'Doeddwn i ddim yn flinedig tan rŵan, Sister.'

'Mi rydach chi wedi bod yn wyrthiol, wedi cael nerth . . .'

A synfyfyriais innau mai rhyw elfen oriog yw nerth.

' 'Rwy wedi eich edmygu drwy'r misoedd ac yn falch heddiw eich bod yn derbyn marwolaeth Tim gyda'ch doethineb arferol.'

' 'Does yna'r un dewis, Sister, a 'doedd yna'r un dewis o'r dechrau wedi i mi ddeall tipyn am Aids. 'Rwy'n ddiolchgar iawn i chi ac i bawb . . .'

' 'Roedd pawb yn hoff ohono. A phob un ohonom yn melltithio'r dynged.' Gwenodd yn garedig cyn ychwanegu, 'Beth am ei eiddo?'

'Ei fân bethau'n unig, Sister.'

'Fe ofala' i amdanyn nhw i chi. Beth am y cynhebrwng?' Bywiogais, 'Ddowch chi hefo Mem a minnau?'

'Preifat? Dof, os mynnwch.'

'Mae'r trefniadau yn nwylo Jones y twrnai,' amneidiais. 'Bu yma'n gweld Tim fis yn ôl. 'Chydig fydd raid i mi ei neud. A chynhebrwng preifat oedd ei ddymuniad. Bydd hynny braidd yn anodd ac mae rhai o'r teulu yn siŵr o weld bai ond ta waeth am hynny, maen nhw'n deulu pell ym mhob ystyr. Ac fe gafodd Tim ei frifo'n ofnadwy ganddyn nhw yn y dechrau, er y gallai eu hanwybodaeth am y gwaeledd fod wedi bod yn gyfrifol am hynny.'

'Ac mae'r rhan fwya' o bobol yn rhy barod i farnu, Miss Davies.'

' 'Roedd Mem yn deud mai rhywbeth tebyg oedd cyflwr Tim ddoe. Pa bryd daeth y newid mawr drosto, Sister?'

' 'Welsoch chi mohono ddoe?'

'Naddo. Mem fydd yn dŵad ar ddydd Gwener.'

' 'Welais i mohono ddoe chwaith. 'Roeddwn yn *O.P.D.* drwy'r dydd. Ond 'roedd y Nyrs Staff yn deud mai rhywbeth yn debyg oedd o ddoe drwy'r dydd hefyd. Eto bore heddiw dwedodd y Chwaer Nos ei fod o wedi mynd i gysgu'n syth ar ôl i Nyrs Huws roi tabledi iddo tua naw, ac na ddwedodd o ddim llawer wrthi hi. Cysgodd yn drwm drwy'r nos ac mae'n amlwg ei fod wedi mynd i goma erbyn y bore. Ac erbyn hanner awr wedi deg 'roedd ei gyflwr yn gwaethygu; ffoniais chi'n fuan ar ôl hynny.'

'Wel 'does dim arall i'w ddeud, Sister, ond bod yn dda gen i bod y cyfan drosodd. Mi fydda' i'n cysylltu â chi ynglŷn â'r trefniadau.'

'Dowch hefo mi rŵan i nôl fy nghot ac mi awn i'r Hendre wedyn.'

Yr Hendre — yn bendant cawn wared â'r lle'n reit fuan. Cyn i'r haf ddod, meddyliais, ac yna caf hiraethu am Tim yn y dyddiau hirion o dan yr haul, mewn gardd fechan o flaen bwthyn bach efallai a drws y ffrynt a ffenest y parlwr yn wynebu'r de, a'r un cysgod yn unlle.

*   *   *   *

'Doedd yna ddim llawer i'w wneud wedi i Tim farw. A dim ar ôl y cynhebrwng. O leiaf, dyna oedd y ffordd yr oeddwn i'n ymateb i'r sefyllfa. Gwn heddiw 'mod i, dros dro, wedi colli un o'r greddfau pwysicaf — sef synnwyr cyfeiriad. Meddyliwn, ar y pryd, 'mod i'n flinedig a diawydd am nad oedd yna symbyliad i fywyd nac amser bellach. 'Roeddwn i wedi disgwyl y byddai popeth yn wahanol ar ôl iddo fynd ac anodd oedd amgyffred nad oedd dim wedi newid ond y ffaith nad oedd raid mynd i'r ysbyty bob dydd. A 'doedd y tywydd heb newid chwaith. 'Roedd hi'n dal i farugo'n drwm bob nos a thrwy'r dydd cadwai cymylau unlliw â phlwm y dymheredd yn isel. Meddyliais fod yr un cymylau wedi cartrefu dros Ogledd Cymru o fis Ionawr ymlaen ac ymhen dim 'roeddwn i'n cymharu 'nghyflwr swrth â'r awyr — yn sicr 'roeddwn innau hefyd mewn cyfnod o oediad.

'Doedd yna ddim llawer o gyfathrach rhyngof a Mem a sylweddolais fod f'atebion yng nghwrs ein sgyrsiau yn byrhau. Ac ar un adeg sylweddolais hefyd ei bod hi'n ail-ddweud yr un peth, a hynny'r un diwrnod, ac o fewn dwyawr droeon. Ac ymhen y mis 'roeddwn i wedi dechrau ofni'r cyfnodau y byddem yn gorfod eistedd gyferbyn â'n gilydd, yn enwedig prydau bwyd.

Dechreuai'r dydd gyda Mem yn dweud, 'Mae'r tymhorau'n ansefydlog erbyn hyn, 'all neb ddibynnu arnyn nhw. Mae'r gwanwyn yn hwyr eto 'leni ac mi fydd yr haf yr un mor gyndyn.'

'Roedd pynciau Mem wedi mynd yn brin ac yn gul : y tywydd, ein hieir, y gweinidog newydd, a'r capel. Ganol y bore dywedai, ' 'Wyt ti'n cofio patrwm y tywydd pan oeddem ni'n ifanc? Byddem yn gwisgo dillad isa tenau tua'r Pasg a ffrogiau cotwm neu sidan wedyn tan fis Hydref.'

Amser cinio : 'Mae'r iâr goch wedi dechrau dodwy o'r diwedd. Ond wir 'wn i ddim beth sy' wedi digwydd i'r ieir, 'chydig o wyau brown ydw i'n 'u cael rŵan. A dim ond yr iâr ddu sy'n dodwy y wyau mawr nobl 'na.'

Dros ein paned dri o'r gloch : 'Mae'r gweinidog newydd yn garedig iawn. Mae o'n gwneud negesau'n gyson i Miriam Puw. Pan oeddwn i yno'r diwrnod o'r blaen 'roedd hi'n deud ei fod o wedi nôl hanner pwys o facwn iddi'r diwrnod cynt. A hithau'n gwirioni ac yn meddwl bod y gweinidog newydd yn debyg i Iesu Grist. Ac yn gofyn oeddwn i'n meddwl bod Iesu Grist wedi gwneud negesau i hen bobol erstalwm.'

'Beth ddwedaist ti, Mem?'

'Beth oedd 'na i'w ddeud? Faset ti wedi meddwl am rywbeth?'

'Gan mai Iddew oedd Iesu Grist 'does yna'r un peryg 'i fod Ef wedi nôl bacwn i neb.'

'Mi dria' i gofio hynna a deud wrthi.'

Ac yn ystod ein paned olaf cyn noswylio : 'Mae 'na damprwydd yn dŵad drwy'r wal ar yr ochr chwith i'r pulpud.'

'Mae hynny'n digwydd 'radeg yma o'r flwyddyn.'

'Ydy, ond nid cyn waethed â hyn. Mae o fel patrwm du 'leni, neu ddarlun o resi a rhesi o gerrig beddi, a mae 'na un neu ddwy o rai newydd bob wythnos.'

19

Un noson ddiwedd Mai cofiais fel y byddai Tim yn chwerthin dros y tŷ pan fyddai Mem yn mynd drwy'i phethau a sylweddolais fod yr Hendre wedi bod yn dŷ unig a mud am hydoedd a 'mod innau'n mynd yn debyg iddo. Ac yn annisgwyl y noswaith honno gofynnodd Mem: 'Pa bryd wyt ti am ddŵad i'r capel?'

'Rhywdro.'

' 'Run amser â rhoi'r tŷ ar werth?'

'Mi ddylem ni drafod hynny . . .'

'Pa bryd?'

'O, 'wn i ddim . . .'

'Rhywdro, fel popeth arall.'

'Wel, 'does 'na ddim brys, mae'r haf o'n blaenau.'

'Rho'r tŷ ar werth. Paid â disgwyl am yr haf.'

' 'Fedra' i ddim penderfynu ar unwaith, Mem. Ac eto cyn i Tim farw 'roeddwn i'n bendant.'

'Tim druan, mae o'n cysgu'n ddel rŵan.'

'Ydy,' meddwn ac aeth drwy fy meddwl ei bod hi wedi dweud rhywbeth tebyg droeon am Tim, a phethau rhyfedd eraill hefyd. Efallai, fel y byddai Mam yn arfer dweud, nad oedd Mem wedi llwyr aeddfedu. Euthum ymlaen, ' 'Roeddwn i'n siŵr y dylem gael gwared â'r tŷ . . .'

'A rŵan mae'r holl beth yn gyfrinach fawr tra wyt ti'n stwnsian yn union fel Mam, ac yn cyfri'r teulu pell.'

'Na, 'does 'run o'r teulu'n bwysig bellach.'

'Wel am bwy 'rwyt ti'n meddwl?'

' 'Rwy wedi cysidro, rŵan ac yn y man, ei adael i ryw Achos Da.'

'Beth amdana' i?'

'Mi allem ni brynu rhywle hwylus a rhoi'r Hendre . . .'

'Mae'n debyg mai i'r capel yr oeddet ti'n meddwl ei roi.'

20

'Na, 'fyddai hynny'n werth dim. 'Fydd yna fawr neb yn mynychu capeli ymhen pum mlynedd.'

'Lol, Mati.'

'Na, mae'r capeli'n cau, ac mae'r mwyafrif o bobol yn dweud bod crefydd, ein crefydd ni, yn marw. Ond bydd y tlawd a'r digartre yma byth.'

' 'Ydy Jones y twrnai'n gwybod hyn?'

'Mem bach, sut ar y ddaear y gall o wybod? Meddyliau cymylog ydy'r rhain.'

'Dy syniadau di?'

'Ia, o bosib.'

Gydol y deng niwrnod canlynol bu Mem yn dawedog ac yn bwdlyd a theimlwn fod yna gysgod rhyngom — cysgod na ellid cysgodi rhagddo na chwaith ei anwybyddu, am fod heulwen oeraidd dechrau Mehefin erbyn hynny'n ffrydio drwy'r tŷ, gan beri i bopeth ymddangos yn ddisglair ac ar wahân, a chan ychwanegu at rym y cysgod. Eto sawl gwaith yn y dyddiau hynny y meddyliais na allwn bellach weld Mem yn glir.

Yn sydyn ar ddydd Gwener daeth y gwres ac anodd oedd dygymod â'r tymheredd yn dringo naw gradd mewn llai na phedair awr ar hugain. Ac wedi i'r haul fachludo 'roedd nerth ei des yn peri i'r Mynydd Twr ymddangos fel petai'n ddig o dan gwmwl gwyn. Cwmwl gwawdlyd . . .

Penderfynais na allwn aros mwy cyn siarad â Mem a dywedais: 'Mae'n anodd dioddef sefyllfa fel hon, Mem. Mae'n rhaid i ni siarad yn naturiol. Mae'r distawrwydd yn siŵr o fod yn fwrn arnat ti hefyd.'

'Ddim o gwbl. Hen sefyllfa ydy hon. 'Rwy i wedi hen arfer â hi.'

'Na, Mem, ti sydd wedi creu'r sefyllfa — o ddim.'

'Dim!' bloeddiodd. ' 'Rwyt ti wedi taro'r hoelen ar 'i phen

21

o'r diwedd. Dim fuo mi erioed. Gwnaeth Mam yn siŵr o hynny.'

'Naddo, Mem bach. 'Rwyt ti fel chwaer i mi.'

'Fel chwaer, Mati,' meddai Mem yn sarrug. 'Dyna ti o'r diwedd yn deud yr holl wir.'

Cododd o'i chadair a heb edrych arnaf aeth yn syth tua'r drws a'i agor a'i glepian. Wedyn clywais hi'n troedio'n gyflym drwy'r cyntedd i gyfeiriad y grisiau.

*   *   *   *

Rhois y golau a'r tân trydan ymlaen. 'Roedd hi'n tywyllu'n sydyn ac o'r tywyllwch deuai ias o oerni, yn union fel y daeth yr oerni o'r tywyllwch y noson y bu Nel farw, bedair blynedd a thrigain ynghynt, funudau ar ôl i Mem gael ei geni.

Mor ddisglair yw'r hen atgof hwnnw o hyd, fel petai wedi parlysu pob atgof cynharach am ddigwyddiadau bore oes, er mwyn bod yn sicr o gael y lle pwysicaf. Ac felly y mae, ar wahân i'r modd y cofiaf byth am Nel ac am gynhesrwydd anhygoel ei chariad a'r ffordd ddiogel braf y teimlwn bob tro y gwelwn hi, yn enwedig pan ddywedai, 'Hogan pwy wyt ti, Mat?'

'Roedd yna dri ohonom. Nel oedd yr hynaf. Pan oedd hi'n saith oed daeth Ted ac ymhen dwy flynedd wedyn cefais innau fy ngeni. Ar ôl fy ngenedigaeth bu Mam yn wanllyd am tua dwy flynedd a byddai'n dweud ei bod wedi gorfod dibynnu gormod ar Nel i'w helpu pan oeddwn i'n faban, a bod hynny wedi gwneud Nel a minnau yn orfeddiannol o'n gilydd. Efallai mai un wahanol oedd stori Tada, ond 'fedra' i ddim bod yn siŵr o hynny; wedi'r cyfan 'chlywais i mohoni 'rioed o'i enau — dim ond dychmygu bob tro yr edrychwn ar ei ddarlun ar ôl iddo farw fod ei lygaid yn trio dweud rhywbeth wrthyf. A chan fod yna stori ynglŷn â phawb a phopeth i mi pan oeddwn yn blentyn, breuddwydiais fod ei stori ef yn un hollol wahanol i stori Mam. 'Rwy'n cofio mor dda y gallai Tada ddweud stori ddigon dwl a'i gwneud yn ddiddorol ac na bu gan Mam ddim erioed ond ffeithiau — rhai sychlyd heb fêr yn eu hesgyrn.

Mis Mai oedd hi a gwyddai Ted a minnau'n iawn fod yna rywbeth mawr, na wyddem ddim amdano yn mynd ymlaen yn yr Hendre, rhywbeth llawer mwy na'r gwaeledd a oedd wedi cadw Nel yn ei gwely am ddeuddydd. Ar y dydd Sul, diwrnod cyntaf ei gwaeledd, 'roedd Doctor Huws wedi ymweld â hi bedair gwaith a dywedodd Ted : 'Dyna i ti bunt yn barod. Mae o'n gwneud pres fel slecs. 'Wyddet ti ei fod o'n cael pum swllt bob tro mae o'n mynd i dŷ pobol, ac yn chwil racs hanner yr amser.'

'Gobeithio mai Tada sy'n talu. Fe âi Mam yn sâl wrth feddwl am y fath swm.' Ac yna'n ddifrifol gofynnais, ' 'Wyt ti'n meddwl bod Nel yn sâl iawn, Ted? 'Wyt ti'n meddwl mai'r ticáu sydd arni?'

'Na,' meddai Ted yn hollwybodus. 'Mae hynny'n gneud pobol yn denau a mae Nel wedi mynd yn dew iawn, ac yn flêr yr un fath â Nain Caergybi.'

'Roedd y nain honno newydd farw.

'Ted,' meddwn mewn braw, ' 'wyt ti'n meddwl mai dropsi sydd ar Nel?'

Edrychodd mewn penbleth a gofyn : 'Be ddiawl ydy hynny?'

' 'Wn i ddim ond dyna oedd yn bod ar Nain Caergybi.'

Ar y dydd Llun anfonwyd ni i'r ysgol heb air o eglurhad na seremoni o gwbl. A gallaf gofio bod hwnnw'n ddiwrnod hynod o hir ac na allwn wneud dim ond sgwennu 'NEL' ar fy llechen ac na chymerodd Miss Jones yr athrawes yr un sylw o hynny. Yn wir, 'roedd hi'n eithaf clên.

Ar y ffordd adref dywedodd Ted, 'Mi fu nain Twm Tŷ Talcen farw o'r dropsi hefyd. Dim ond dŵr ydy *dropsy* a mae'n rhaid claddu'n fuan. Dyna ydy'r peryg.'

'Peryg! Be ydy'r peryg?'

'Yr arch yn byrstio . . .'

Â'm dychymyg ar dân rhedais yr holl ffordd adref a rhuthrais drwy ddrws y cefn ac yn syth i'r gegin lle'r oedd Anti Sali, chwaer Mam, yn hwylio te. Dywedodd, ' 'Rwyt ti'n fuan, Mati. Lle mae Ted bach?'

'Allwn i mo'i hateb achos 'roedd geiriau Tada amdani yn disgleirio o flaen fy llygaid ac yn atseinio drwy 'mhen.

' 'Wyt ti wedi colli dy dafod?'

'Roeddwn i wedi colli popeth — gwynt, llais, a nerth — a dechreuais grynu . . .

Edrychodd Anti Sali arnaf yn garedig. 'Be sy'n bod, Mati bach?'

Daeth sŵn tebyg i hen ddail sychlyd yn cael eu sathru dan draed o'm genau, ' 'Ydy Nel wedi marw?'

'Nac ydy, neno'r tad. Pam 'rwyt ti'n gofyn?'

Mewn eiliad cefais lwyr adferiad. 'Dim ond wedi meddwl,' meddwn.

'Ac mi fedri di neud hynny. Byth a hefyd yn hel meddyliau gwirion.'

Gwraig weddw ddi-blant oedd Anti Sali a byddai'n mynd i aros i dai gwahanol aelodau o'r teulu mewn cyfnodau o argyfwng. Rhai wythnosau ynghynt pan fu Nain Caergybi farw 'roeddwn i wedi clywed Tada'n dweud: 'Mae Sali'n crwydro o dŷ i dŷ a phob amser yn cyrraedd y fan lle mae 'na farwolaeth, fel deryn corff.'

Daeth Ted i'r gegin a gwenu'n dirion ar Anti Sali. Meddyliai ei fod o'n medru ei thrin hi i'r dim. 'Helô, Anti Sali.'

'Helô, 'ngwas i. 'Wyt ti'n barod am de?'

'Bron iawn â llwgu.'

Manteisiais ar ei sgwrs a symud yn ddistaw bach i gyfeiriad y drws ond trodd Anti Sali'n sydyn a gofyn, 'I ble'r wyt ti'n mynd, Mati?'

'I weld Nel . . .'

' 'Chei di ddim.'

'Pam? Mi 'roedd Mam yn deud ddoe y cawn fynd heddiw.'

'Mae dy fam wedi newid 'i meddwl.'

'Mi a' i . . .'

'Mi ddoi di at y bwrdd 'ma a bwyta dy de'n ddi-lol, a thithau hefyd, Ted. Ac ar ôl te ffwrdd â chi i'r parlwr bach.'

Wedyn, a ninnau'n croesi'r cyntedd i gyfeiriad y parlwr bach, gwelais Mrs Williams Y Glyn yn syllu arnom o ben y grisiau. Rhoes Ted hwth enbyd i mi drwy'r drws a dweud : 'Paid â phoeni amdani hi. Mae Twm Tŷ Talcen yn deud 'i bod hi'n busnesu ym mhotas pawb.'

'Ond, Ted, y hi sy'n mynd o gwmpas y tai i folchi pobol sy' wedi marw.'

'Mae hi'n gneud pob math o bethau digri. Mae hi'n berwi olew a chalch i neud eli. Mae hi'n hel dail a hel cocos i neud ffisig. Ac mae hi'n dŵad â babis i'r byd.'

'Roedd hi'n bnawn braf a llewyrchai'r haul yn syth drwy ffenest y parlwr bach. Gorweddai Ted ar y setl ddu a lenwai'r wal gyferbyn â'r lle tân, ac mi 'roeddwn i'n lolian yng nghadair fawr Tada a'm pen yn llawn o newyddion newydd sbon am Mrs Williams Y Glyn.

'Pwy sy' wedi deud wrthat ti fod Mrs Williams Y Glyn yn dŵad â babis i'r byd?'

'Fy mêts.'

'Ydy dy fêts yn gwybod sut mae babis yn dŵad i'r byd?'

' 'Run fath â llo neu fochyn bach.'

Torrodd llygedyn o oleuni drwy'r niwl, 'A chathod bach,' awgrymais. 'Roedd Nel wedi egluro tipyn am y gath ac wedi siarsio arnaf i beidio â sôn am y peth wrth Mam, ac wedi mynd i sterics wedyn pan sylwais ei bod hi'n beth od nad oedd Mam yn gwybod am y gath gan ei bod hi'n rhoi llawer o sylw iddi.

Nodiodd Ted yn eiddgar, 'Cathod, cŵn, defaid . . .'

'Ond babi, Ted, 'ydy babi'n byw mewn bol?'

'Ydy. Mae hynny'n *TRUE FACT* achos mae mam Twm Tŷ Talcen wedi egluro iddo fo.'

'Wel, sut mae'r babi'n mynd yno?'

'O, 'does neb yn gwybod hynny.'

'Mae'n rhaid bod rhywun yn gwybod.'

' 'Run o fy mêts.'

'Mae'n siŵr bod Mrs Jones Tŷ Talcen yn gwybod.'

'Ella wir. A mae hi am ddeud mwy wrth Twm pan gaiff o drowsus llaes. A mae hi wedi gaddo prynu pâr yn reit fuan iddo am ei fod o'n tyfu allan o'i ddillad.'

' 'Ydy pob hogyn yn cael gwybod popeth am fabis ar y diwrnod maen nhw'n cael trowsus llaes?'

' 'Wn i ddim.' Yna dechreuodd Ted frolio : 'Mi ofynna' i i Tada pan ddaw o adre o'r môr y tro nesa'.'

Broliais innau : 'A mae Nel yn siŵr o ddeud popeth wrtha' i cyn i mi gael sodlau uchel.'

Yn fuan wedyn, tua'r un amser ag y diflannodd yr heulwen, syrthiodd Ted i gysgu. A gwnes innau swpyn bach del ohonof fy hun yn y gadair fawr a meddyliais mor dawel oedd hi ym mhobman. A thybed a oedd Nel yn dal i gysgu? Tybed a oedd hi'n breuddwydio? Byddai ganddi gant a mil o straeon da i'w dweud y tro hwn. Achos 'fedrai neb gysgu am ddwy noson a deuddydd heb freuddwydio. Ac i basio'r amser fe ddechreuwn i freuddwydio rŵan am y sodlau uchel a fyddai'n fy nghario o'r Hendre ac o'r pentref i gyfeiriad Llundain ar gyrraedd un ar bymtheg, ymhen rhyw saith mlynedd.

'Roedd popeth a oedd yn werth ei gael neu'n werth ei weld yn Llundain. Strydoedd llydain a siopau mawrion a liffts ynddynt i gyd, a chaffi crand ym mhob un bron, a llefydd molchi cynnes a digon o ddŵr poeth yn byrlymu'n llon o dapiau arian, a neb yn rhybuddio, 'Bydd di'n ofalus o'r dŵr.' A phopeth ar werth yn yr un siop, pob math o sgidiau, rhai a rhannau meddal a dwl arnynt ond y sodlau uchel bob amser yn sgleinio'n well na'r brain o gwmpas y Tŵr, er eu bod hwythau hefyd fel rhyfeddodau. Ac un llawr anferth, un mwy na'n capel ni a chapel yr Annibyns ac un y Methodistiaid efo'i gilydd, yn llawn o lyfrau a lluniau a phapur sgwennu neis, a chardiau pen blwydd tua'r un faint â llechi ysgol. A'r *Toy Bazaar* wedyn. Wel, pwy fyddai mor wirion â dewis dol wen ddel ar ôl gweld dol ddu brydferth, a phwy fyddai'n ddigon o ffŵl i ddewis dol o gwbl ar ôl gweld mwnci? Fi, wrth gwrs, am na welais y mwnci'n gyntaf. A phwy fyddai'n dymuno cael piano ar goesau main ar ôl ffansïo drwm glas yn hongian ar stondin du? A'r bwydydd yn y seler, ganwaith a chanwaith fwy o fwyd yno nag sydd o gwmpas amser y 'Dolig ac ar ddiwrnod Cymanfa'r Plant, nac mewn gwledd gynhebrwng. Afalau pîn o'r ynysoedd pell, sosej hirion a thewion o'r Almaen, a bara main, tua llathen o hyd, o Ffrainc, a photiau bach bach o *Tiptree Jam*.

Clywais sŵn Ffordyn Doctor Huws yn arafu. Hwn oedd

y sŵn cyntaf i mi ei glywed ers meitin a chodais at y ffenest a gweld y Ffordyn yn troi i mewn drwy'r giât fawr ac yn mynd at gefn y tŷ. Tybed a oedd Doctor Huws yn un go-lew? Byddai Mam yn dweud bod y doctoriaid da i gyd yn Llundain. Biti garw nad oedd Nel wedi mynd i Lundain cyn mynd yn sâl. Gallai'r doctoriaid wneud gwyrthiau yn yr ysbytai yno, rhai tebyg i rai Iesu Grist a Ioan Fedyddiwr. Ond gallai meddygon heddiw roi pethau newydd i bobol, fel coes bren a llygad gwydr. Mi 'roedd Alffie's Felin wedi cael plât aur yn ei ben yn lle'r asgwrn yr oedd wedi'i anafu ym Mrwydr Somme. Wel, pam nad oeddwn wedi meddwl ynghynt? Os oedd meddyg yn medru gwneud camp (fel y gwnaethant gydag Alffie) yna'n mae'n siŵr mai nhw oedd yn rhoi babis ym moliau pobol.

'Roeddwn i ar fin deffro Ted a dweud wrtho 'mod i wedi dehongli'r dirgelwch pan agorodd Ted ei lygaid a dweud:
'Mae'n mynd yn dywyll. Faint ydy o'r gloch?'

''Wn i ddim. Mae'r hen gloc 'na wedi stopio er ddoe.'
Edrychais yn flin ar y cloc ar y silff-ben-tân.

'Rho dy ben allan o'r drws a sbïa ar y cloc mawr.'

'Roedd y cloc hwnnw gyferbyn â throed y grisiau. Yn ofalus dechreuais agor y drws a rhoi 'mhen allan pan ddechreuodd rhywun sgrechian i fyny'r grisiau a gollyngais fy ngafael yn y drws a rhedeg yn ôl at Ted.

'Roedd y sŵn ofnadwy'n cynyddu yn ddiatal ac wedyn daeth distawrwydd yr un mor sydyn ag y daeth y sgrechian, ac mi 'roedd y distawrwydd hefyd yn ofnadwy. Erbyn hynny 'roedd Ted wedi 'nhynnu tuag ato ac mi 'roeddwn i'n hanner eistedd ar ei lin ac 'roedd y ddau ohonom yn crynu. Rhywbryd gofynnais: 'Beth wyt ti'n feddwl sy'n digwydd, Ted?'

'Nel oedd yn sgrechian,' atebodd.

Yna dechreuodd rhywun grio a hynny hefyd dros y tŷ.

'Mae 'na fabi'n crio,' meddai Ted.

Yna dechreusom ninnau hefyd grio ond yn ddistaw fel pe baem yn crio y naill i'r llall, neu'r naill dros y llall. Ac arhosodd y ddau ohonom yn y parlwr bach o dan y caddug glas-tywyll a oedd yn troi'n gysgodion duon o'n hamgylch ac yn tyfu'n bileri neu'n goed yn y cornelau, ac yn fuan wedyn dechreuodd yr ystafell oeri.

*   *   *   *

Wedi i mi fod yn meddwl mor hir am yr hen noson honno, gan fynd dros yr holl ddigwyddiadau'n fanwl o'r dechrau i'r diwedd, syrthiais i gysgu a breuddwydiais am Mem. 'Roedd hi'n hwylio cinio i Tim. Gwenodd ei gwên hyfrytaf, gwên y direidi mwyn. Dywedodd : 'Bydd y cyw iâr yn barod erbyn un. Dylai Tim gyrraedd cyn hynny.'

'Cyw iâr roist ti i Tim y tro diwetha', Mem.'

'Wel, Mati, be wyddost ti am Tim? 'Chydig iawn. A be wyddost ti am gyw iâr? Llai fyth. Cyw iâr ydy ffefryn Tim.' Yna dechreuodd chwerthin yn ddireol cyn dweud : 'Ond nid Tim ydy ffefryn cyw iâr.'

Mae'n siŵr 'mod i wedi deffro'n fuan ar ôl hynny achos 'roeddwn i wedi mynd i ffwndro rhywfaint a thybiais 'mod i'n cymysgu atgofion a breuddwydion. A sylweddolais nad oeddwn yn sicr o ddim byd bellach. Edrychais ar y cloc. Dau o'r gloch y bore oedd hi . . .

Wedyn, a minnau yn fy ngwely ac ar fin cysgu, dechreuais eto ddwyn y breuddwyd ar gof a meddyliais ei fod o'n un rhyfedd, ond efallai nad oedd o'n rhyfeddach na llawer . . . o'r lleill. Eto 'roeddwn i'n ymwybodol o'r ffaith fod yna syniad ystyfnig yn trio dianc o'i gragen lwydaidd yng ngwaelodion fy meddwl ac y dylai'r breuddwyd fod wedi f'atgoffa o rywbeth a oedd wedi 'mhyslo'n ddiweddar. Ond 'fedrwn i ddim cofio.

'Roedd y dydd Sadwrn canlynol yn boethach na'r diwrnod cynt, hyd yn oed am naw o'r gloch y bore, ac ymlwybrais braidd yn lluddedig i lawr y grisiau ac i'r gegin. Eisteddai Mem wrth y bwrdd. Gwenodd, ''Rwyt ti wedi cysgu'n hwyr. Mi wna' i de ffres . . .'

'Na, mi fydd hwn yn iawn. 'Gysgaist ti, Mem?'

'Wel, do'n siŵr, gallaf gysgu bob amser.'

Sylweddolais ei bod hi'n dewis anwybyddu ffrwgwd neithiwr. 'Roeddwn yn ddiolchgar am hynny a dymunais am osteg i wneud rhywbeth a allai ei phlesio yn ystod yr haf. Na, nid yn ystod yr haf; gwnawn rywbeth pendant wedi i ni fwrw'r Sul . . .

'Mae'r gwres wedi dŵad, Mati. Mae wedi dŵad yn sydyn 'leni, nid yn gymedrol fel y byddai'n dŵad pan oeddem ni'n blant, pan oeddem ni'n ifanc.'

'Roedd popeth yn iawn, yn sicr o fod. 'Roedd ein sgwrs wedi llithro'n ôl i'w hen safon gyffredin a chyfforddus . . .

Cododd Mem a dweud : 'Cyw iâr i ginio, mae'n rhaid i mi feddwl am y popty.'

'O, ddim cyw iâr eto, Mem. 'Rwy wedi syrffedu arnyn nhw, ac mae'n cymryd deuddydd i ni orffen eu bwyta.'

'Ffefryn Tim,' meddai a mynd allan o'r gegin.

Dychwelodd fy mreuddwyd. 'Roedd fy mreuddwyd wedi f'atgoffa o'r cywion ieir yr oeddem yn eu bwyta bob wythnos. Un trist oedd y syniad a roes ei lewyrch dros fy meddwl : a oedd hi'n bwyta cyw iâr bob wythnos yn gyson fel petai i gofio, neu a oedd hi wedi anghofio hanner yr amser fod Tim wedi marw? 'Doeddwn i ddim yn teimlo y gallwn ddilyn Mem i'r gegin bach a dechrau sôn yn naturiol am Tim ac yna ddwyn ei farwolaeth i'r brig yng nghwrs y sgwrs a gwylio'n ddisgwylgar am ei hadwaith. Gwyddwn y byddai hynny'n ormod o fwrn ar fy nerth a'm gallu. Mae methiant i weithredu'n gyflawn ac yn gyfiawn hefyd efallai, yn llifo'n anesgorol gyda henaint, ac yn gyflymach droeon. Yn ddiau 'roeddwn i wedi heneiddio flynyddoedd mewn misoedd. Felly nid teimladau'n unig sy'n rheoli mannau gwynion yr ymennydd, ond hwyrach bod ambell ddigwyddiad ysgytiol gynt a nifer o brofedigaethau a siomiant wedi creu math o anialwch yno, ac nad oes yno wedyn ddigon o faeth i gynnal ymdrech na chwaith i fwytho, neu i fabwysiadu mwy o amynedd.

Ac wrth gwrs, 'roedd hi wedi llwyddo i'm brifo (efallai 'mod i'n rhy groendenau) drwy ddweud na wyddwn lawer am Tim. Ac wrth gwrs ac fel arfer 'roedd hi'n iawn. Clytiog iawn oedd fy ngwybodaeth am y mannau gwan a oedd ynghudd yn unigedd ei ddyddiau a dirgelwch ei ffyrdd. Ond mi fûm i'n fwy tosturiol na hi tuag ato a siawns nad ydw i'n deall radd neu ddwy yn well nag y gallai hi.

Felly, er mwyn osgoi gorfod meddwl am beth bynnag a oedd yn effeithio ar Mem euthum drwodd i'r parlwr mawr a dechrau chwilio'n brysur am y lluniau i Sister Parry. 'Roedd hi wedi ymweld â ni ddwywaith neu dair yn ystod y gwanwyn, a'r tro diwethaf 'roedd wedi gofyn a allem roi benthyg hen ddarluniau i Ceri, ei merch, a oedd yn trefnu prosiect ar hen dai a hen deuluoedd yn ardal.

'Â chroeso,' atebais, 'ond mae'n debyg na fydd yna'r un o unrhyw ddiddordeb i'r gwaith.'

'Mi allen nhw fod yn ddiddorol dros ben,' meddai'r Chwaer. ' 'Rwy'n deall bod eich teulu wedi byw yma am dros gan mlynedd.'

'Do, cartref fy nain, mam fy mam, oedd yr Hendre. A

chan mai unig blentyn oedd hi fe ddaeth fy nhaid yma i fyw ar ôl iddyn nhw briodi.'

Torrodd Mem ar fy nhraws a dweud : 'A Mati oedd enw honno.'

'Chymerais i ddim sylw ac euthum ymlaen : 'Ac wedyn digwyddodd yr un peth; unig blentyn oedd Mam hefyd a phan briododd hi daeth Tada yma i fyw.'

'A Mati oedd enw honno hefyd,' dywedodd Mem. Gwenodd yn fuddugoliaethus arnaf fel petai'n gwybod ei bod wedi llwyddo i'm taflu oddi ar f'echel.

Efallai bod y Chwaer wedi synhwyro hyn oblegid dywedodd yn garedig : 'Felly y chi ydy'r drydedd i ddwyn yr enw, a gwn mai chi yw'r hyna'.'

'Na,' meddai Mem. 'Nel oedd enw'r ferch hyna'.'

'Efallai bod eich mam wedi dymuno torri hen draddodiad teuluol.'

'Rhywbeth felly,' meddwn yn dawel ac yn fuan wedyn ffarweliodd Sister Parry â ni.

'Doedd dod o hyd i'r lluniau sbâr ddim yn broblem o gwbl a 'wnes i ddim trafferthu edrych arnynt yn fanwl. Wedi'r cyfan, adwaenwn y tŷ a'i deulu'n rhy dda eisoes. Rhois fwndel mewn bag a meddyliais y byddai'n hawdd mynd â nhw i dŷ'r Chwaer y prynhawn hwnnw, ac os byddai hi yno cymharol hawdd hefyd fyddai ymddiried ynddi a gofyn cyngor. Teimlwn fod ein hen gyfeillion mewn gormod o oedran i ddeall dryswch Mem, yn enwedig gan na allwn i fy hunan ei ddeall.

'Roeddwn i wedi teimlo'n gyfforddus yng nghwmni'r Chwaer pan oedd hi'n gofalu am Tim, yn gyfforddus a chartrefol er gwaetha'r bwlch dwfn yn ein hoedran. Hen fwlch annifyr yw hwnnw'n fynych, yn enwedig pan yw ei hinsawdd yn oeri'n fygythiol dros yr un hynaf.

Edrychais ar y cloc. Un o'r gloch. Byddai'r cinio'n siŵr o fod yn barod ac euthum i gyfeiriad y gegin fawr ac ar y ffordd rhaid oedd mynd heibio i'r parlwr bach. 'Roedd drws hwnnw'n llydan agored a dyna lle'r oedd Mem yn eistedd wrth y bwrdd.

'Brysia,' meddai, 'mae popeth yn barod.'

Gan nad oeddem wedi bwyta yn yr ystafell honno am fwy na blwyddyn, teimlais fwy nag ychydig o syndod. Cedwais yn ddistaw fodd bynnag, i gadw'r ddysgl yn wastad, ac eisteddais wrth y bwrdd. Tra oedd Mem yn cerfio'r cyw iâr sylweddolais ei bod hi wedi trafferthu llawer ynglŷn â gosod y bwrdd a meddyliais efallai bod hyn yn arwydd da, ac y dylem ddefnyddio'r ystafell i fwyta ynddi eto fel yr arferem cyn i waeledd Tim ein gorchfygu.

'Paid â rhoi llawer o ginio i mi, Mem.'

'Wel, dyma ti,' meddai a rhoi plât o'm blaen. Yna cododd a dweud : 'Mi a' i â phopeth arall i'r popty er mwyn cadw cinio Tim yn boeth.'

Na, nid arwydd da, penderfynais. Yn wir, mae'r sefyllfa'n gwaethygu.

Dychwelodd Mem a dechreuodd fwyta a dechreuais innau symud fy mwyd o gwmpas ar fy mhlât a thrio bwyta tameidyn rŵan ac yn y man. Yna'n sydyn sylwais ei bod hi wedi gosod lle arall wrth y bwrdd ac aeth ymdrech y tameidiau'n drech na mi, a'r eiliad honno daeth tonnau o chwys a chryndod drosof . . .

O bellter daeth llais Mem : 'Be sy'n bod, Mati?'

' 'Wn i ddim.'

'Y gwres. Mae gwres fel hyn wedi effeithio arnat ti o'r blaen.'

'Bydd raid i mi orffwys.'

'Wel, dyna biti, a finnau wedi berwi'r pwdin 'Dolig.'

'PWDIN 'DOLIG!'

' 'Doedd dim llawer o awydd bwyta ar Tim dros y 'Dolig.'

Mor braf oedd hi yn yr ystafell fawr, yn nyfnder fy nghadair. Ac mor dawel. Mae'n siŵr 'mod i wedi syrthio i gysgu o fewn cwta funudau. 'Rwy'n cofio meddwl y byddai'n rhaid i mi daclo'r sefyllfa ynglŷn â Mem, ac yna 'does gen i ddim cof am ddim, nes clywed Mem yn dweud: 'Dyma baned. 'Rwyt ti wedi cysgu'n drwm am ddwyawr ond mae golwg gwell arnat ti rŵan. 'Wyt ti'n teimlo'n well?'

'Mi fyddaf, ar ôl cael paned.'

'Os wyt ti'n siŵr bod y pwl drosodd, mi a' i at Miriam.'

'Ia, dos di, Mem.'

'Byddaf yn ôl tua wyth.'

Euthum i sefyll yn agos i'r ffenest a gwyliais hi'n mynd o dan yr haul drwy'r giât ac i'r lôn bach a oedd yn llonydd o dan drymder glesni prynhawn o haf. Wedyn cerddodd yn syth i'r ffordd lydan a arweiniai i'r pentref, ac yn fuan 'roedd hi'n smotyn bach sionc o wyrdd a gwyn rhwng gerddi'r tai mawr. Glöyn Byw. Sawl gwaith yr oeddwn i wedi dweud wrthi pan oedd hi'n blentyn; ' 'Rwyt ti fel glöyn byw, Mem bach, yn gwibio o'r naill le i'r llall. Aros yn d'unfan am funud er mwyn i mi fedru dy ddal.'

Erbyn hynny 'roedd hi'n chwarter i bedwar a braidd yn rhy hwyr i alw'n annisgwyl ar Sister Parry a chan fy mod yn lluddedig hefyd penderfynais ei ffonio. Mor falch oeddwn o glywed ei llais, ac mor ddiolchgar pan ddywedodd nad oedd ganddi ddim pwysig i'w wneud. 'Gwelaf chi ymhen ugain munud,' meddai a dwyn y sgwrs i ben. Pan rois y derbynnydd i lawr sylwais fod yna gymylau llwyd-ddu yn casglu dros y Mynydd Twr a bod yna wynt yn codi. Gwynt a sain hiraeth ynddo fel petai'r haf eisoes drosodd ar ôl deuddydd. A rhoed i minnau yr hiraeth a oedd yn y gwynt.

Wedi i'r munudau o fân siarad fynd drosodd euthum i deimlo'n ofnus ac efallai braidd yn wirion am na wyddwn sut i ddechrau sôn am yr helynt wrth Sister Parry. Dychmygais glywed sibrwd Mem yn dod o dôn y gwynt; ' 'Does yna'r un ffordd y mae neb yn mynd i dy goelio di, Mati. Maen nhw'n siŵr o feddwl mai ti sy'n hel meddyliau.' Yna, cyn i'r ymgom fynd yn hollol garpiog cofiais am y lluniau a rhois nhw i'r Chwaer. 'Gobeithio y byddan nhw'n help i Ceri,' meddwn.

'Bydd yn ddiolchgar dros ben.' Yna edrychodd arnaf a gofyn : 'Be sydd ar eich meddwl chi?'

'Mae'n anodd gwybod sut i ddechrau . . .'

' 'Ydach chi'n cael problemau ynglŷn â'ch chwaer?'

'Ydw. Mae hi'n deud ac yn gneud y pethau rhyfeddaf.'

'Yn ddiweddar?'

'Efallai bod ei hymddygiad wedi newid tua'r un amser ag y daeth Tim adre . . .'

'Efallai bod ei waeledd wedi rhoi gormod o ysgytiad iddi.'

'Na, 'doedd hi ddim yn deall llawer, dim yn y dechrau, neu efallai nad oedd arni hi eisiau deall.'

'Faint ydy oed Mem?'

'Pedair a thrigain. Mae hi naw mlynedd yn ieuengach na mi. Ond mae Mem wedi aros adre erioed felly mae ei gorwelion wedi bod braidd yn gul.'

'Beth oedd ei gwaith hi?'

'Gofalu am Mam a'r tŷ.'

'Pa bryd y bu'ch mam farw?'

'Ugain mlynedd yn ôl. Ar ôl hynny aeth Mem i fyw hefo

Anti Sali, chwaer Mam, a phan fu hi farw, daeth yn ei hôl ata' i.'

'Felly mae hi wedi treulio llawer o amser hefo pobol mewn oed.'

'Ydy.'

'Dyna'r argraff y mae Mem wedi'i adael ar fy meddwl i. 'Fasech chi yn deud 'i bod hi'n blentynnaidd hefyd?'

'Baswn.'

'Maddeuwch i mi am ofyn cwestiynau fel hyn. Ymwelydd Iechyd oeddwn i . . .'

' 'Roeddwn i'n amau.'

'Rhowch fraslun o'r sefyllfa bresennol i mi a rhyngom siawns na allwn ni ddod o hyd i ffrâm i ffitio'r darlun.'

' 'Roedd hi'n mynd ar fy nerfau i pan ddaeth hi'n ôl i fyw yma ddwy flynedd yn ôl. Byddai'n gor-ffwdanu a gor-siarad ond bûm mor oddefgar ag y gallwn am ei bod wedi bod hefo Mam a Modryb am gymaint o amser. Ond pan ddaeth Tim yn ôl i aros fe aeth pethau o ddrwg i waeth. Dwedai bethau gwawdlyd; deud nad oedd o'n sâl o gwbl, ac mai ei fythol ddymuniad oedd diogi am ei fod wedi cyn-efino â bywyd y deallus ac wedi cael blas ar ddiogi a byw fel hipi yn Llundain. 'Roedd hi'n gyndyn iawn i neud llawer iddo, hynny yw, nes iddi ffeindio ei fod o'n hoff o gyw iâr ac wedyn bu raid i mi roi'r brêc arni neu fe fasai'r creadur wedi cael cyw iâr bob dydd! Yna pan waethygodd Tim a phan drefnwyd iddo ddod i'ch ysbyty a phan eglurwyd y sefyllfa yn fanwl i mi, a phan wnes ymgais i egluro wrthi hi dwedodd mai fi oedd yn dychmygu'r cyfan.'

'Hanner munud. 'Wnaeth Tim eich rhybuddio neu ymddiried . . .'

'Naddo. A 'wnaeth y doctor ddim chwaith, tan ddiwrnod y cyfweliad . . .'

' 'Wnaethoch chi ddeud wrth Mem nad oedd yna obaith o gwbl?'

'Do, ond 'allai hi ddim credu hynny tan tua mis cyn y diwedd. 'Roedd hi'n bendant mai fi oedd wedi camddeall. Bu'n rhaid i'r doctor ei hargyhoeddi, ac ar ôl hynny dychwelodd ei dirmyg.'

'Dirmyg!'

'Chwarae teg, nid dirmyg ynglŷn â'i afiechyd . . .'

'Wel, pa reswm oedd ganddi dros fod yn ddirmygus?'

'Erbyn hynny 'roedd ei dirmyg yn cael ei anelu at yr Hendre.' Oedais cyn ychwanegu: 'A bod yn deg, efallai mai ar Mam 'roedd y bai.'

'Eich mam!' 'Roedd tôn ei llais yn cyfleu anghredinedd a gwyddwn 'mod i'n gwneud stomp o'r stori.

'Fe fyddai'n haws i chi ddeall pe gallwn ddeud yr hanes o'r dechrau,' meddwn.

Cydiodd yn dyner yn fy llaw. 'Mae gen i ddigon o amser.'

' 'Roedd yna dri ohonom. Nel a Ted a minnau. 'Roedd Nel naw mlynedd yn hŷn na mi, a phan oedd Ted yn tynnu am un ar ddeg a minnau am naw oed cafodd Nel fabi. A Mem oedd y babi. A bu Nel farw.'

'Faint oedd oed Nel?'

'Deunaw.'

'A thros drigain mlynedd yn ôl, go brin bod Nel wedi deud wrth neb.'

' 'Doedd neb yn ddigon dewr i ddeud dim felly tan ar ôl y rhyfel. 'Wyddai neb bod Nel yn feichiog tan y Sul.'

' 'Oeddech chi'n hoff o Nel?'

'Dotiwn arni. Nel oedd y gwrthrych pwysica' yn fy mywyd.'

' 'Wnaeth eich rhieni fagu Mem?'

'Do.' Wedi i mi ddweud hynny penderfynais nad oeddwn yn barod i ddweud llawer mwy o hanes fy hen deulu ar y diwrnod hwnnw. Yn hytrach na hynny symudais ymlaen i gyfnod marwolaeth fy mam a dywedais : 'Gadawodd Mam yr Hendre i mi ond cyn iddi farw dywedodd y dylwn i adael y lle i Tom. Mab fy mrawd. Tad Tim.'

'Mab Ted?'

'Ie, cafodd Ted ei ladd yn Dunkirk. Ond gan ei fod o wedi priodi'n ifanc 'roedd ei fab Tom yn ddeuddeg erbyn hynny.'

'Ym mhle mae Tom rŵan?'

'Bu Tom a'i wraig mewn damwain ddeng mlynedd yn ôl, ac ymhen wythnos wedyn bu'r ddau farw, o fewn oriau i'w gilydd. Tim oedd yr unig blentyn a daeth yma ata' i.'

'Trychineb ar ôl trychineb. Mi 'rydach chi wedi cael eich siâr o dristwch.'

'Do, a byddaf yn meddwl weithiau bod yna felltith ar yr hen dŷ 'ma. Cedwais at ddymuniad Mam ond mae Tom a Tim wedi marw. Eto i ryw raddau gallaf dderbyn marwolaeth ond 'fedra' i yn fy myw ddeall dryswch meddwl. Ac mae cyflwr meddwl Mem wedi creu mwy o boen ac o dristwch i mi nag a wnaeth dim arall ers peth amser, am fy mod yn heneiddio, efallai.' Yna euthum ymlaen i ddisgrifio digwydd-iadau'r misoedd diwethaf a gorffennais drwy ddweud : 'Mae'n amlwg nad yw Mem yn sylweddoli, y rhan fwya' o'r amser, fod Tim wedi marw. Sawl gwaith y mae hi wedi deud, "Cysgu mae Tim" neu "Mae Tim yn cysgu'n ddel". Beth ddylwn i 'i neud, Sister?'

'Mae'n amlwg fod ganddi hi ryw fath o *mental block*. 'Wnaethoch chi ddeud wrthi hi heddiw 'i fod o wedi marw pan aeth hi â'r bwyd i'r popty?'

'Naddo, Sister. Mae 'na fath o lwfrdra wedi disgyn drosta' i. Mae arna' i ofn deud dim a fyddai'n debyg o'i gneud yn fwy ffwndrus, neu wawdlyd. Ac efallai 'mod i'n ei hofni hi.'

'Bydd raid i chi fynd at Dr Dodd a deud wrtho fo.'

'Bydd. Ac 'rwy'n ofni hynny hefyd.'

'Pam?'

'Am nad oes ganddyn nhw bellach amser i wrando cŵyn hen bobol heb sôn am hanes fel hwn; ac yn wir byddai'n anodd ei feio pe bai o'n meddwl mai fi sy'n dychmygu . . .'

'Beth oedd eich gwaith?'

'Llyfrgellydd.'

'Ym mhle?'

'Llundain. Chwe mis cyn i Mam farw bu'n rhaid i mi roi'r gora' i 'ngwaith.'

Cyn mynd gofynnodd Sister Parry: ' 'Fasech chi'n fodlon i mi ddeud tipyn o'r hanes wrth Dr Dodd? Byddaf yn ei weld bob dydd yn yr ysbyty a gallwn gael mwy o amser i drafod efo fo yno nag y byddai'n bosib i chi ei gael yn y feddygfa.'

'Mi faswn yn ddiolchgar iawn. A llawer o ddiolch am ddŵad yma heddiw, ac am wrando.'

'Mi fydda' i'n siŵr o'ch ffonio.'

Yn fuan ar ôl iddi adael yr Hendre dechreuodd fwrw glaw yn drwm a chofiais 'mod i wedi gadael ffenest 'stafell fy ngwely'n llydan agored ac euthum yn syth i fyny'r grisiau. 'Roeddwn i mewn pryd i weld y dŵr a oedd eisoes wedi casglu ar y sil yn ffurfio afonig fechan ac yna'n torri'n rhydd ac yn byrlymu i lawr y pared, a daeth i'm meddwl y gallai Mem hefyd fod wedi gadael ei ffenest yn agored.

Ond nid dyna 'roedd Mem wedi ei wneud — 'roedd hi wedi tynnu'r llenni ar draws y ffenest. Y peth cyntaf a welais pan rois i'r golau ymlaen oedd y doliau'n addurno ei gwely — tua dwsin o ddoliau ac yn eu canol 'roedd y ddol ddu a oedd wedi denu 'mryd a dwyn fy serch, sawl blwyddyn ynghynt, yn y siop fawr yn Llundain. Cerddais at y gwely a chodi'r ddol yn dyner a'i dal yn yr un modd cariadus ag yr oeddwn wedi ei dal pan oedd Mem tua thair wythnos oed — y diwrnod y daeth Mam i'r parlwr bach a'm dal yn rhoi mwythau i Mem ac yn trio rhoi'r ddol iddi yn ei chrud.

'Faint o weithiau sy' raid i mi ddeud wrthat ti am beidio dŵad yn agos i'r babi 'ma?' meddai Mam.

' 'Does gen i ddim help, Mam. 'Fedra' i ddim cadw draw pan mae'r babi'n crio am ei bod yn unig.' 'Ddywedodd Mam ddim gair a manteisais ar y distawrwydd a dweud, 'Mae'n amser i'r babi 'ma gael enw.'

'Rho di enw iddi, Mat.'

' 'Ydach chi o ddifri?'

'Ydw.'

'Mem,' meddwn, 'ar ôl y ddol ddu 'ma. Nel wnaeth 'i phrynu i mi a Nel wnaeth ddeud mai Mem oedd ei henw.'

Adnabûm ryddid y diwrnod hwnnw, y math o ryddid sy'n rhoi pŵer a gwyddwn 'mod i wedi cael y llaw uchaf ar Mam. Cyn hir y parlwr bach oedd fy nefoedd newydd a chysegr fy holl freuddwydion, a Mem bach oedd yn ennyn fy holl ddelfrydau, hi oedd fy nuw newydd. Ond yr hyn nas sylweddolais oedd mai hwnnw hefyd oedd y dydd yr aberthais fy mhlentyndod am na allwn ddioddef clywed babi Nel yn crio. A 'wnes i ddim dirnad nad i mi y rhoed y pŵer ond i Mem.

Rhois y ddol yn ôl i orffwyso yng nghanol y gweddill a rhyfeddais yn brudd at stad meddwl y sawl sy'n mynnu cadw gwrthrychau serch eu babandod. Edrychais o'm cwmpas wedyn a gwelais y bwrdd cul gyferbyn â'i gwely a oedd yn llwythog o ddarluniau a cherddais tuag ato. Ar y llaw chwith 'roedd yna bâr o luniau, un o Mam yn ei saithdegau a'r llall ohonof fi tua'r amser y bu Mam farw, ac 'roedd y ddau ddarlun wedi'u gosod i wynebu'i gilydd mewn dull od iawn. Ar y llaw dde 'roedd yna bâr arall, un o Ted a'r llall o Tom, ac un o Tim ar ei ben ei hun, ond yn y canol 'roedd yna dri darlun: un o Tada ar y chwith a'r llall o Nel ar y dde a rhyw fodfedd neu ddwy o'u blaenau 'roedd yna ddarlun o Mem pan oedd hi'n flwydd oed yn magu'r ddol ddu.

Cyn i'm prudd-der lwyr ddiflannu daeth ofn oerllyd i'r adwy eang.

Rhywdro gwnes baned o de a darn o dost ac eisteddais yn unigedd y gegin fawr a dychmygais mai fy mhen gwyn oedd yr unig beth a ddisgleiriai yn y cysgodion yno. Meddyliau gwylltion oedd i mi'n eiddo y min hwyr hwnnw. Pa bryd 'roedd hi wedi trefnu'r arddangosfa yn ei hystafell wely? Pa bryd 'roeddwn i wedi bod yn ei hystafell hi o'r blaen? 'Doedd gen i ddim cof o gwbl. 'Oedd hi wedi trefnu'r ystafell yn bwrpasol er mwyn i mi ei gweld? Na, ni allwn dderbyn hynny. Adwaenai Mem fy holl ffyrdd a gwyddai 'mod i'n greadures bersonol ac na fuaswn byth yn mynd i unlle os nad oedd angen mynd. Gallwn ei chlywed yn dweud: 'Pan mae pen Mati mewn llyfr gallai'r tŷ gwympo, heb iddi sylwi.'

Na, rhaid bod yna reswm arall, rheswm a oedd yn ddwfn yn ei meddwl, yn y ddrysfa lle mae gwraidd llwyn y cenfigen yn tyfu ac yn anfon sudd bob hyn a hyn i'r brigau gan beri iddynt flaguro â gwylltineb dial. A chreu terfysg. Y terfysg na allai Mem ei wrthsefyll am ei bod yn frau ac yn ddigofus. 'Roedd hi wedi caru'r doliau ac wedi eu cadw ond nid yw dol yn rhoi cusan am gusan ond ym meddwl plentyn. 'Roedd hi wedi caru rhai ohonom yn y darluniau hefyd. A oeddem ni wedi dychwelyd y cariad yr oedd hi wedi ei estyn tuag atom, wedi ei bwyso arnom? Ted a minnau. Tom efallai. A Nel? Oeddem, hwyrach, mewn modd delfrydol neu yn y

41

ffordd barchus sydd gan blant o garu teulu sydd wedi marw cyn iddynt hwy gael eu geni. Neu yn y dull negyddol, fel y y caiff Duw ein cariad cyn i rywbeth erchyll ddigwydd a'n brifo, a'n cleisio. A Mam? Na, gelyniaeth o boptu oedd ganddynt yn hytrach na chariad. A Tim? Na 'doedd Tim ddim yn ei chofrestr. A Tada? Wel, 'doedd hi ddim yn cofio Tada. Ac eto 'roedd hi wedi rhoi ei ddarlun i sefyll yn agos i un Nel, a'r un ohoni ei hun yn faban fodfeddi o'u blaenau . . .

Ac yn sydyn gwawriodd arnaf fod Mem yn gwybod . . .

'Doedd gan Mem ddim i'w ddweud pan ddychwelodd o dŷ Miriam Puw, ac roedd yn gwbl amlwg ei bod hi unwaith eto wedi encilio i'w llecyn dirgel. Aeth i'w gwely'n gynnar. Eisteddais innau'n hir yn nistawrwydd arbennig y nos a hidlo gwaddodion fy meddyliau yn y gobaith y deuwn o hyd i ffaith neu i syniad a allai fwrw goleuni ar y llwybr llithrig y troediwn arno. Ond ofer fu'r ymchwiliad; 'doedd yna ddim ond tywyllwch a gwyddwn na allwn ymlwybro drwyddo ymhellach.

Penderfynais fynd at y twrnai fore Llun a dweud wrtho am drosglwyddo'r Hendre i Mem. (Efallai bod Mam wedi bod yn rhy ystyfnig.) Wedyn awn i'r banc a rhywfodd neu'i gilydd, drwy werthu'r ychydig fuddsoddiadau oedd gennyf, cawn ddigon o arian i brynu cartref bach i mi fy hun.

Cyn mynd i 'ngwely syllais ar fysedd melyn, hirion y wawr yn crafangu drwy'r tywyllwch, a chyn mynd i gysgu gwyliais hwy'n chwalu'r nos, a meddwl mor braf fyddai dod o hyd i wawr newydd . . .

Mae'n rhaid 'mod i wedi cysgu'n drwm am chwe awr a phan godais teimlwn yn ysgafnach nag yr oeddwn wedi teimlo ers peth amser.

Cymerais yn ganiataol fod Mem wedi mynd i'r capel, a gwnes baned a phisyn o dost a daeth i'm meddwl 'mod i'n byw ar de ac ar dost. Ta waeth, cawn drefn ar ôl trannoeth. Golchais y llestri yn y gegin bach a phan oeddwn yn eu sychu gwelais weddillion y cyw iâr ar ben y ffrij, ac ar y ddysgl 'roedd yna gyllell gerfio anferth. Diflannodd f'ynni newydd.

'Roedd hi tua hanner awr wedi deuddeg pan sylweddolais nad oedd Mem wedi dychwelyd o'r capel a meddyliais rhaid ei bod hi wedi mynd am ginio i dŷ rhywun neu'i gilydd. Efallai ei bod hi wedi dweud wrtha' i; hwyrach 'mod i wedi anghofio achos gwyddwn nad oedd fy nghof innau'n anffaeledig o dan ddirgelwch digwyddiadau'r misoedd.

Euthum i'r gegin bach a chydio yn y badell ffrio a dweud, 'Wel, hen ffrind, wy a bacwn amdani eto.' Ac yn fuan wedi hynny lluchiais weddillion y cyw iâr i gist y sbwriel. Cefais brynhawn dedwydd. 'Roedd pendantrwydd penderfyniad y noson cynt yn fy nghynnal ac wedi fy nyrchafu i'm hen, hen gynefin, a darllenais y papurau newydd am hir amser.

Efallai 'mod i'n pendwmpian pan glywais gloch drws y ffrynt yn diasbedain drwy'r tŷ. Meddyliais mai rhywun ar frys garw oedd yno a brysiais mor fuan ag y gallwn.

'Mi ddois i'ch gweld yn lle ffonio,' meddai Sister Parry wrth ddod i mewn.

'Mae hynny'n garedig iawn. 'Ydach chi wedi gweld Dr Dodd, Sister?'

'Do,' meddai, 'a mae Dr Dodd wedi gweld Mem hefyd.'

'Wedi gweld Mem!'

'Do. Peidiwch â chyffroi. 'Rydach chi wedi mynd drwy'r gwaetha'n barod. 'Roeddech chi wedi amau bod Mem yn ddryslyd.'

'Ond Dr Dodd . . .'

'Fel y digwyddodd, 'roedd y doctor yn yr ysbyty pan gyrhaeddodd Mem . . .'

'Be sy' wedi digwydd i Mem?'

' 'Roedd hi'n meddwl ei bod hi'n ymweld â Tim. Mae hi'n ddryslyd iawn. Daliai i ddeud ei bod hi eisiau gweld Tim yn cysgu a'i bod hi'n dymuno aros nes iddo ddeffro . . .'

'Ym mhle mae hi rŵan?'

'Mae hi'n cysgu mewn stafell fechan arall yn yr ysbyty. Ac mae'n debyg y bydd hi yn ein hysbyty ni am rai dyddiau, ac wedyn ar ôl i ryw ymgynghorydd . . .'

'Ymgynghorydd?'

'Ie. Un o bobol yr Adran Iechyd Meddwl.'

'Ydy hi mor ddrwg â hynny?'

'Mae hi mor sâl â hynny,' meddai a'i llais braidd yn geryddgar. 'Rhywbeth tebyg ydy salwch meddwl i bob salwch arall.'

' 'Roeddech chi'n deud 'i bod hi'n cysgu . . .'

'Gan ei bod hi'n gynhyrfus penderfynodd Dr Dodd y dylid rhoi cyffuriau iddi i'w chadw'n dawel . . .'

'Ewch chi â fi ati hi rŵan?'

'Na, byddai'n well i chi beidio â'i gweld heddiw.'

'Doeddwn i ddim wedi dirnad bod ei chyflwr meddwl cyn waethed â hyn, a 'doeddwn i ddim wedi estyn digon o dosturi a chariad iddi chwaith. 'Roeddwn i wedi anwybyddu'r arwyddion a rhoi 'mhen mewn rhyw lyfr neu'i gilydd gan obeithio y byddai'r dyddiau duon yn diflannu. Yr unig beth yr oeddwn i wedi ei rannu â hi oedd distawrwydd, ac mae'n debyg bod hwnnw droeon wedi bod yn llethol. A'r cyfan am fy mod yn ofnus.

'Mi ddylwn fod wedi deud rhywbeth yn gynt,' meddwn, 'ond 'roeddwn i mewn ofn. Ofnwn na fyddai neb yn fy

44

nghoelio ac efallai bod hynny wedi dylanwadu arna' i tan ddoe, pan ddechreuais ei hofni hi. Balchder . . .'

'Mae yna elfen o falchder ynom ni i gyd, gwaetha'r modd.'

'Gadawodd Mam fwy na'r tŷ i mi; gadawodd ei balchder a'i hofn. Ei balchder ynglŷn â'r teulu a'i hofn ynglŷn â Mem.'

'Pam yn neilltuol ynglŷn â Mem?'

'Genedigaeth Mem oedd yn gyfrifol am ddymchwel balchder Mam. A genedigaeth Mem oedd tarddle'i hofnau hefyd.'

'Mae mamau'n llwyddo i ddod i delerau â merch ddibriod yn cael babi fel rheol,'

'Ydyn, Sister. Ond Tada oedd tad Mem.'

Fel bygythiad anweledig disgynnodd distawrwydd rhyngom — y math o ddistawrwydd sy'n lledu dros fryn a phant a thref, a phob cynefin le, hanner awr o flaen dyfodiad barrug. Rhywdro dywedodd y Chwaer, ' 'Allai dim byd fod yn waeth. Gallaf ddeall agweddau'ch mam.' 'Roedd ei llais yn dawel ac yn ddwys fel elfennau'r oerni . . .

Dywedais innau rywbryd: 'Mor hawdd ydi gweld pan mae'r darlun yn glir. Ond bu bron i Mam farw o dorcalon, ac o warth, ac o bryder, ac o geisio ymdrechu i ateb y cwestiwn, " 'Oeddwn i ar fai?" Ac wedi i Mam ddechrau arfer ychydig 'roedd Mem ym mhob man yn prepian, yn cropian, yn rhoi ei breichiau allan i erfyn cariad, ac yn rhwystr bythol a fynnai ddwyn pob doe yn ôl i Mam. Chwarae teg iddi, mi fu'n fam dda i Mem. Ond 'roedd ganddi hi obsesiwn ac efallai ei bod hi'n iawn.'

'Obsesiwn?'

'Efallai mai ofn oedd o. Ofn — rhag ofn — i Mem gael plant. Dyna pam y gadawodd hi'r tŷ i mi. Rheswm od iawn.

Ond 'roedd hi wedi pryderu cymaint ynglŷn â'r hyn a ddigwyddodd i Nel.'

'Gwaed . . .'

'Gwaed, ac i feddwl mai gwaed Tim a ddaeth â'r deyrnach neu'r llinach, neu beth bynnag ydi'r gair addas, i ben.'

'Beth ddigwyddodd i'ch tad?'

'Daeth Tada adre o'r môr ryw fis ar ôl i Mem gael ei geni. Ond gan fod yna gymaint o helbul yn y dyddiau hynny, 'wnaeth Ted a finnau ddim sylweddoli bod yna fwy o helyntion tra oedd Tada yma. Do, bu 'mrawd a finnau mewn tywyllwch am lawer dydd ond 'rwy'n sicr bod Mam wedi deud wrth Ted cyn iddo fo fynd i Ffrainc, achos fe gefais i wybod yn fuan ar ôl i Ted gael ei ladd.'

'Ond beth ddigwyddodd i'ch tad?'

'Mi aeth yn 'i ôl i'r môr ond ymhen deufis ac yntau ar y daith yn ôl i Glasgow ym mis Hydref, mis y gwyntoedd gerwin erstalwm, drylliwyd ei long ac aeth Tada i lawr hefyd.'

'O'i wirfodd?'

' 'Wn i ddim ond byddaf yn hoffi meddwl ei fod o wedi'i aberthu'i hun i drio dwyn y trallodion i ben. A sut y gallai Tada wybod am y rhai a oedd eto i ddod?'

' 'Ydy Mem yn gwybod?'

'Erbyn hyn 'rwy'n eitha' siŵr ei bod hi'n gwybod.' A disgrifiais y modd yr oedd hi wedi trefnu'r lluniau yn ei hystafell wely.

'Pwy allai fod wedi deud wrthi hi?'

'Anti Sali. 'Fedra' i ddim meddwl am neb arall.'

'Mae'n ddrwg gen i ond mae'n rhaid i mi fynd rŵan.'

'Arhoswch funud, Sister. 'Rwy'n mynd at y twrnai 'fory i drosglwyddo'r hen dŷ 'ma i Mem. Wedi'r cyfan mae ganddi hi fwy o gariad at y lle . . .'

'Na, na, peidiwch â gneud hynny 'fory.'

'Ond 'does arna' i ddim eisiau aros yma.'

'Gallaf ddeall hynny. Ond arhoswch am dipyn i weld beth y mae'r meddyg yn ei feddwl ynglŷn â Mem.'

'Roeddem ni wrth ddrws y ffrynt pan ddywedodd Sister Parry: 'Mem druan. 'Roedd hi wedi dŵad â brest cyw iâr a brechdanau . . .'

'I Tim . . .'

Amneidiodd. 'Mi gysylltaf â chi'n fuan.'

'Diolch i chi am fod mor garedig, unwaith eto.'

'Fel y dwed y Sais, *It's all in a day's work*. Ond ar wahân i hynny mae 'na rywbeth apelgar i mi mewn unigolyn fel chi sy'n . . .'

Efallai ei bod hi'n rhy foneddigaidd i orffen y frawddeg, a gorffennais hi drosti gan awgrymu: 'Golledig?'

'Rŵan ac yn y man.'

Nodiais innau a gofyn: ' 'Fydd raid i chi ddeud hanes fy nheulu wrth y meddygon?'

'Dim ond os bydd raid.'

*   *   *   *

Mae Ceri'n dod yma bob dydd, weithiau ddwywaith, ond bob amser te ar ei ffordd adref o'r ysgol. Mae hi'n eneth bert ac yn eithriadol o ffeind wrtha' i. Yn wir, mae hi'n debyg iawn i'w mam. 'Rwy'n credu bod Ceri wedi gwneud mwy o les i mi na neb ac eithrio Nel a Mem erstalwm. Y Nel honno a ofalodd amdanaf mor hir, a'r Mem fach a gafodd fy ngofal innau. Ac eithrio Tim, i ryw raddau, cyn iddo fy nghau o'i fyd ac yna'n hollol ddidaro fy rhoi o'r neilltu fel hen ddilledyn. Ond heddiw gallaf ddeall ei resymau a maddau iddo.

Ac eithrio Ted hefyd yn y plentyndod byr a roed i ni.

47

Mae'n debyg y byddwn i'n byw byth a hefyd, yn fy meddwl, efo'r teulu dros drigain mlynedd yn ôl oni bai am Ceri.

Mae hi'n bymtheg oed, oedran pan yw breuddwydion yn blodeuo, oedran y delfrydau sy'n hawlio gwraidd. Oedran anodd hefyd, y tu hwnt i gyfnod plentyn ac eto heb gyrraedd byd oedolion — gwagle, neu dir neb sydd rhwng y ddau lecyn. Efallai bod ei meddwl yn cymryd ei amser i ddatblygu ond mae hi wedi etifeddu digon i gynnal dyfodol y datblygiad. Ac y mae ganddi hi synnwyr digrifwch grymus. Bydd hynny yn nerth iddi. Fe ddylwn i wybod . . .

Sister Parry a gafodd hyd i'r bwthyn i mi. Na, nid y hi a gafodd hyd iddo. Mae o wedi bod yma erioed yn gysglyd yng nghanol y pentref. Dweud ei fod o ar werth ac y dylwn ei brynu a wnaeth y Chwaer. A dyna a fu a deuthum yma ym mis Medi, bum wythnos ar ôl i Mem farw.

'Ddaeth Mem druan ddim ati ei hun o gwbl. Wedi i'r ymgynghorydd ymweld â hi, dywedwyd wrthyf ei bod hi mewn cyflwr drwg; *'Cerebral irritation,* Miss Davies.' Dyna un o'r pethau a ddywedodd Dr Dodd hefyd, ac wedi iddo fwmian brawddeg neu ddwy wedyn cododd a dweud, 'Pnawn da, Miss Davies,' a mynd allan o'r ystafell. 'Roedd yr ystafell yn fawr ac yn loyw a digon o le ynddi i mi ac i'm syniadau. Beth allai *cerebral irritation* fod, neno'r Tad? Efallai bod yna ddau wyneb i'r ymennydd a'u bod weithiau'n cyffwrdd â'i gilydd, neu'n rhwbio yn erbyn ei gilydd ac yn cythruddo'i gilydd yn y modd y gall anghytgord rhwng dau berson adweithio a'u cythruddo. Neu efallai mai math o gosfa dros yr ymennydd ydoedd. Hwyrach mai dyna oedd y rheswm dros i Mem fynd o'i chof . . . A chofiais fel y byddai hi'n mynd yn wyllt ac yn sgrechian pe gwelai chwannen pan oedd yn blentyn.

Daeth Sister Parry i'r ystafell a dweud bod cyflyrau meddwl Mem wedi rheoli ei hymddygiad am beth amser ac mai'r peth gorau fyddai iddynt drefnu iddi fynd i Gartref Gofal. 'Doeddwn i ddim yn hoffi'r syniad hwnnw o gwbl a dywedais y gallwn ofalu amdani.

'Gan nad yw Mem yn eich adnabod chi bellach, heb sôn am neb arall . . .'

'Efallai mai rhywbeth sydd wedi dod drosti dros dro ydy'r cyflwr 'ma.'

'Na, nid cyflwr felly ydy hwn.'

'Beth sy'n debyg o ddigwydd?'

'Gwaethygu'n gyflym.'

'Roedd y Chwaer yn iawn, a gwn rŵan ar ôl gweld popeth a ddigwyddodd i Mem wedyn na allwn i fod wedi cymryd y cyfrifoldeb.

'Rwyf wedi hiraethu llawer amdani, nid am y Mem a adwaenwn neu y Mem na allwn ei hadnabod yn yr ugain mlynedd diwethaf, ond am Mem y babi, Mem y plentyn, a Mem y ferch ifanc.

'Rwyf wedi hiraethu amdanyn nhw i gyd. Maent oll mor fyw, ac yn sionc yn fy nghof. Efallai mai atgof yw tragwyddoldeb yr unigolyn ac na all fod yn wirioneddol dragwyddol. Efallai mai dim ond lluniau lliw yng nghof y sawl sy'n dal yn fyw ydyw, wedi'r cyfan, ar ôl yr holl bregethu. Cofiant pan fydd rhywun yn dweud, ' 'Rwy'n cofio Mam yn gneud yr un peth â hyn,' neu ' 'Rwy'n cofio Ann, hen ffrind annwyl i mi, a fu farw ddeugain mlynedd yn ôl, yn deud yr un peth yn union.'

Gan mai fi yw'r olaf o deulu'r Hendre, a chan fod fy hen ffrindiau i gyd wedi marw, hawdd yw casglu (os yw'r syniad yn iawn) na fydd yna dragwyddoldeb hir i mi. Ond y diwrnod o'r blaen, pan ddywedodd Ceri y byddai hi'n siŵr o gofio amdanaf i am byth am fy mod yn dweud pethau gwirion, 'roeddwn i'n falch iawn.

Os nad yw f'enaid i'n mynd i unlle o eiliad fy marwolaeth ymlaen — gobeithio y bydda' i'n meddwl am rywbeth hyfryd a ddigwyddodd gynt cyn i'r eiliad olaf ddisgyn. Mae gwybod y caf fyw yng nghof Ceri fach eisoes yn rhoi cysur — cysur y cynhaeaf gwin.

Mae Ceri'n gofyn miloedd o gwestiynau, ac yn ddiweddar mae hi wedi cael llawer o hen hanesion gennyf, a hanes y bobol sy'n galw am fy mod yn byw yng nghanol y pentref, pobol na fyddwn byth wedi eu gweld yn yr Hendre.

' 'Oes rhywun wedi bod yma'n eich gweld heddiw, Mati?'

'Diwrnod llawn bygythiad ydy hwn . . .'

'Sut felly?'

'Daeth y dyn sy'n gwerthu ffenestri newydd yma bron cyn i mi godi a deud y baswn i'n siŵr o farw o *hypothermia* os na phrynwn ei ffenestri. Wedyn daeth y Jehova's Witnesses . . .'

'A beth oedd ganddyn nhw i'w ddweud?'

'Bod diwedd y byd ar ddod. Felly, erbyn heno, 'fedra' i ddim credu bod gen i ddyfodol o gwbl. Mae'n rhaid cyfaddef nad oes yna lawer o ddewis: *hypothermia* a Dialedd Duw. Neu efallai mai Cyfiawnder y dylwn ei ddeud am Ddydd y Farn yn hytrach na Dialedd. 'Fedra' i ddim derbyn, os oes yna Dduw, ei fod o'n Dduw dialgar.'

Yn annisgwyl dywedodd yr eneth, ' 'Faswn i ddim yn credu bod yna Dduw, oni bai am y gwynt.'

'Gwynt.'

'Ie. Mae'r gwynt yn rymus ond 'does neb erioed wedi'i weld, eto mae pawb wedi ei deimlo.'

' 'Rwyt ti wedi deud rhywbeth mawr, Ceri. Rhywbeth dwfn . . .'

Gwenodd, 'Meddyliwch am y gwynt heno.' Yna gofynnodd, 'Beth am yr Hendre?'

'Mae'r twrnai wedi bod yma heddiw hefyd.'

'A beth oedd ganddo fo i'w ddeud y tro yma?'

'Deud nad oedd yna reswm heddiw i neb fod yn ddigartre, a bod y tlodion yn denu mwy o dlodi am eu bod yn gymeriadau diawydd a diog. Ond yr hyn sy'n ei boeni fwya' yw'r ffaith y gallai'r Hendre, pan gaiff ei droi'n Gartre, achosi i brisiau'r tai newydd gwympo.'

'A be ddwedsoch chi?'

'Da iawn, yna bydd yn bosib i bobol gyffredin eu prynu.'

'Ardderchog!'

'Euthum ymlaen i ddeud mai f'eiddo i yw'r Hendre, a chan mai Blwyddyn y Digartre yw hon 'mod i'n dymuno ei drosglwyddo i'r Gymdeithas.'

'Mi 'rydan ni wedi hel hanner canpunt iddyn nhw yn yr ysgol,' meddai Ceri, a balchder yn llifo drwy'i llais, fel petai swm o'r fath yn siŵr o ddatrys holl broblemau'r digartref.

*　　*　　*　　*

Cyn i mi adael yr Hendre, pan oeddwn yn clirio ystafell Mem deuthum ar draws ei dyddiadur, ac oddi ar hynny 'rwyf wedi rhoi llawer o amser i feddwl am rai o'r pethau a ysgrifennwyd ganddi a hefyd wedi poeni yn eu cylch. Ac wedi gofyn ganwaith : beth y dylwn ei wneud? 'Rwy'n gwrthod derbyn fod 'na gyfrifoldeb arnaf i ddwyn y dyddiadur i oleuni dydd a'i roi o flaen y byd a gadael i'r byd farnu gweithred Mem. Rhywbeth eto i'w gadw yn y teulu yw hwn. Meddyliais unwaith y gallwn ymddiried yn Sister Parry ond prin dâl, am bopeth, fyddai ei rhoi hi mewn sefyllfa anodd. Deuthum i'r casgliad na ddywedwn ddim wrth neb.

51

Heddiw llosgais y dyddiadur. Ychydig o ddiddordeb a oedd ynddo ond ar ddydd Gwener y Groglith 'roedd hi wedi ysgrifennu : 'Mae Tim yn cwyno am nad yw'n cysgu. Rhois dabledi cysgu Anti Sali iddo a mae o am eu cymryd heno cyn i'r nyrs roi tabledi'r ysbyty iddo.' A dydd Sadwrn y Pasg, 'Mae Tim wedi mynd i gysgu.' Wedyn ddwywaith neu dair, 'Mae Tim yn cysgu'n ddel.'

Wel, Mem bach, ble bynnag yr wyt ti yn rhywle, 'rwy'n gobeithio dy fod tithau hefyd yn cysgu'n ddel.

Mi feddylia' i am berthynas Duw â'r gwynt heno . . .

YR ESGUS

Wedi i Elin Pugh olchi'r llestri brecwast a thacluso'r gwelyau yn nhŷ Barbara Morgan, ei merch, aeth i'r gegin i hwylio paned iddi'i hun. Diolch am dipyn o lonydd, meddyliodd. Ond tra oedd hi'n dechrau mwynhau meddwl am y llonyddwch a oedd o'i blaen daeth Robin a Jane, efeilliaid Barbara, a oedd yn tynnu 'mlaen tuag at bump oed, a dau o blant ieuengaf y tŷ drws nesaf, i mewn drwy ddrws y cefn.

'Pa bryd y bydd Mami'n dŵad o'r ysbyty, Nain?' gofynnodd Robin.

''Wn i ddim, Robin. Mae'n siŵr mai Taid fydd yn 'i nôl hi ar ôl dŵad o'i waith.'

'Am fod dynion yr ambiwlans ar streic?'

Amneidiodd ei nain.

'' Gawn ni fynd i chwarae i'r sied?' gofynnodd Tom, mab ieuengaf y pâr drws nesaf.

'Neu i'r llofft,' awgrymodd ei chwaer, Beryl, merch ieuengaf y pâr drws nesaf.

'Roedd Tom yn saith oed a Beryl flwyddyn yn iau, a'r rheswm nad oeddynt yn yr ysgol oedd yr annwyd trwm a gawsent wythnos ynghynt.

'Cewch fynd i'r sied,' meddai Elin Pugh. 'Pa gêm ydach chi'n mynd i chwarae heddiw?'

'Ysgariad,' atebodd Beryl. 'Y fi fydd y fam.'

'*Custody*,' meddai Tom ei brawd. 'Mi 'dan ni wedi chwarae Ysgariad ddoe. Ac mae *custody* yn digwydd ar ôl ysgariad.'

Mae'n sobor o beth fel y mae plant heddiw'n dod i wybod mor fuan am holl broblemau'r oes, a hyd yn oed yn eu gweithredu yn eu chwaraeon, meddyliodd Elin Pugh, yn union fel y byddem ni'n cynnal cwarfod gweddi neu de parti. Mae'r oes wedi newid . . .

Torrodd Robin i mewn ar fwrlwm ei meddyliau drwy ofyn, ''Ydy Dad yn gwybod bod Mami wedi torri'i choes, Nain?'

'Ddim eto,' atebodd hithau gan gofio'r ffordd bendant yr oedd Barbara wedi dweud; 'Peidiwch â gadael i Jac wybod am hyn, Mam.'

Torrodd Robin ar draws myfyrdodau ei nain unwaith eto. ''Ydach chi am ffonio Dad, Nain?'

'Mi ga' i weld, Robin bach. Ewch i chwarae rŵan.'

Tywalltodd Elin Pugh baned arall o de iddi ei hun. Wir, mae'r ddamwain yma'n anffodus iawn, meddyliai, ac i feddwl ei bod wedi digwydd yr amser yma o'r flwyddyn — o bob amser — a'r 'Dolig ddim ond mis i ffwrdd. 'Roedd hi'n rhag-weld na fyddai Barbara'n medru rhoi llawer o bwysau ar ei throed de am rai wythnosau. A dyna hi'n dechrau ymresymu, gyda rhithyn o chwerwder, â hi ei hunan. Fel arfer Wil a hithau fyddai'n gorfod neidio i'r adwy er cadw popeth i fynd. A sawl gwaith yr oedd hynny wedi digwydd eisoes yn ystod y deng mlynedd diwethaf? Deng mlynedd — hyd priodas Beryl a Jac. Priodas dymhestlog fu hi erioed. Efallai nad oedd llawer o fai bwriadol ar yr un o'r ddau — dau gymhleth eu natur, a'r ddau yn unig blant. Dau nad oeddynt erioed wedi deall sut i ymostwng yn wylaidd nac yn dyner i unrhyw sefyllfa. 'Roedd hi a Wil wedi gobeithio y byddai pethau rhyngddynt yn gwella tipyn ar ôl i'r efeilliaid gael eu geni, ond ychydig o ddaioni a ddaeth o hynny. Hwn oedd y trydydd tro i Jac adael y cartref ers yr adeg honno. Gresyn bod ei fam yn wraig weddw ac yn byw mor agos . . .

Rhedodd Robin i'r gegin ac yn syth at ei nain gan neidio ar ei glin. 'Roedd o'n ddagrau i gyd . . .

'Beth sy'n bod, cariad?'

Trwy ei fynych ochneidiau dywedodd : 'Mae Mam wedi cael *custody*. Hefo hi y bydd raid i mi fyw.'

'Paid â bod mor wirion, Robin bach, dim ond gêm . . .'

'Tom ydy'r barnwr a mae o wedi deud . . .'

'Hogyn bach 'run fath â chdi ydy Tom, nid barnwr . . .'

'Well gin i fynd at Dad.'

'Wel, paid â chrio. Mi fyddi di'n gweld Dad 'fory.'

'Isio gweld Dad rŵan . . .'

'Helpa fi i hwylio cinio gynta' . . .'

Daeth sŵn cloch drws y ffrynt i'w chlyw.

'Gad i ni fynd i ateb y drws.'

Safai'r ddwy eneth wrth droed y tair gris a arweiniai at ddrws y ffrynt ond roedd Tom wedi'i osod ei hun i sefyll yn agos i'r rhiniog.

'Be 'dach chi'n 'i neud yn y fan yma?' 'Roedd yna fwy nag awgrym o flinder yn llais Elin Pugh.

'Isio *access*,' meddai Tom, 'i weld sut mae Robin yn byhafio yn *custody*.'

Yn sydyn gwibiodd Robin heibio i'w nain a llamu i lawr y grisiau a rhedeg i gyfeiriad y giât a thrwyddi ac i'r lôn fawr.

'Rhoswch lle'r ydach chi,' bloeddiodd Elin Pugh ar weddill y plant, cyn rhedeg mor gyflym ag y medrai ar ei ôl. Ond anwybyddu ei gorchymyn a wnaeth y plant a thrawodd Elin Pugh yn erbyn Beryl wrth y giât a chwympo'n ysgafn i'r llawr. Erbyn iddi lwyddo i godi ac ailddechrau rhedeg 'roedd Robin wedi cael munud da o fod ar y blaen.

Pan gyrhaeddodd Elin Pugh Fryn Aber, cartref Meinwen Morgan, 'roedd y plant i gyd yn y gegin a Meinwen yn eu canol yn orlawn o syndod.

'Be sy' wedi digwydd, Elin?' gofynnodd.

'Y plant sy' wedi bod yn chwarae rhyw hen gêm wirion . . .' ceisiodd hithau egluro.

'*Custody*,' meddai Tom.

'Mae Mam wedi torri'i choes,' ebe Robin.

'Mae Mam yn yr ysbyty,' ebychodd Jane. 'Taid aeth â hi yno.'

'A Taid sy'n mynd i ddŵad â hi adre hefyd am fod yr ambiwlans ar streic,' byrlymodd Robin.

Trodd Meniwen at y plant a dweud, 'Ewch i'r lolfa am funud neu ddau, a byhafiwch eich hunain.'

Diflannodd y pedwar gan roi cyfle i Elin adrodd rhyw gymaint o ddigwyddiadau'r bore wrth Meinwen. Wedi iddi orffen ysgydwodd Meinwen ei phen.

' 'Rwy wedi cael llond bol ar helyntion priodasol Jac a Barbara,' meddai. 'Ond 'rwy'n ofni ei bod yn sefyllfa sy'n mynd o ddrwg i waeth. A'r tristwch mwya' yw'r ffaith ei bod yn effeithio ar y plant. Dyna'r drasiedi . . .'

'Dyna sy'n poeni Wil a finnau hefyd . . .'

Synnodd Elin glywed Meinwen yn dweud : 'Y nhw eu hunain yw'r broblem, Elin. Mae'r ddau'n hunanol a heb aeddfedu digon i dderbyn cyfrifoldeb. 'Wn i ddim sawl gwaith yr ydw i wedi deud hynny wrth Jac . . .'

'Mae Wil wedi deud yr un peth yn union wrth Barbara . . .'

' 'Rwy wedi deud wrth Jac hefyd nad wy'n barod i'w swcro fo bob tro y mae o'n ffraeo efo'i wraig.' Edrychodd yn syth at Elin cyn ychwanegu : ' 'Rwy'n bwriadu mynd i fyw at Maggie, fy chwaer, a byddaf yn rhoi'r tŷ ar werth yn y flwyddyn newydd. Felly 'fydd ganddo fo unlle i redeg wedyn.'

' 'Ydach chi'n meddwl y bydd hynny'n ddigon o reswm i'w anfon o'n ôl at Barbara a'r plant . . .'

'Mi fydd o wedi mynd yn ôl cyn hynny. Mae o'n disgwyl am wyrth neu am esgus — rhywbeth sy'n ddigon mawr i beri iddi hi ddibynnu'n hollol arno. Ac wrth gwrs, pe tasai posib cael hynny heb iddo fo golli wyneb . . .'

'Mae'n hynod o drist, Meinwen, achos 'rwy'n dal i gredu bod y ddau'n hoff o'i gilydd . . .'

'Maen nhw, yn bendant. Dyna pam yr ydw i'n mynd oddi yma. 'Fydd hynny ddim yn hawdd.'

'Na fydd, wir,' meddai Elin. Yna daeth rhyw ddisgleirdeb i'w llygaid a dywedodd : 'Mae Wil yn ymddeol cyn y 'Dolig. Mi fyddai'n braf pe gallem ni fynd i ymweld â'i chwaer yn Seland Newydd . . .'

'Yna mi fyddai'n rhaid iddyn nhw ddibynnu ar 'i gilydd . . . '

'Yn union.'

Edrychodd Meinwen yn ddwys, yna cododd a rhoi'r tecell i ferwi. 'Mi fydd o yma am damaid i'w fwyta unrhyw funud rŵan,' eglurodd.

'Mi a' i â'r plant odd' yma cyn iddo gyrraedd.'

'Dim ots am hynny. Ond mae'n arw o beth ein bod ni'n gorfod trafod diffygion ein plant ein hunain. Ar bwy mae'r bai, tybed?'

'Yr oes, efallai. Ond mi a' i â'r rhain rŵan. Maen nhw'n ddi-fai.'

Dim ond Jane a Beryl a Tom oedd yn y lolfa ac o dan iasau o oerni sydyn gofynnodd Elin Pugh, 'Ym mhle mae Robin?'

'Mi ddoth Dad yn 'i gar,' meddai Jane, 'ac mi redodd Robin allan.'

'I ddeud wrth 'i dad fod 'i fam yn yr ysbyty,' eglurodd Tom.

'A maen nhw wedi mynd yn y car,' meddai Beryl.

Gwenodd y ddwy nain ar ei gilydd.

' 'Wna i ffonio'r ysbyty er mwyn gwneud yn siŵr?' gofynnodd Meinwen Morgan.

Ymhen pum munud 'roedd hi'n ôl yn wên i gyd.

'Mae Jac yn dŵad â Barbara adre ymhen yr awr,' eglurodd Gwenodd Elin Pugh hithau : 'Felly, mae drosodd.'

'Ydy,' atebodd Meinwen Morgan. 'Efallai nad ydy o'n wyrth ond mae'n esgus go-lew.'

DROS 'DOLIG

(Dyddiadur Wythnos)

Dydd Llun 20-12-82

Tomen o gardiau a llythyrau eto heddiw. Hilda May yn
cael y rhan fwya' o'r llythyrau ac yn eu darllen iddi'i hun
ac wedyn yn dweud y manylion wrtha' i. Prin gof sy' gen
i am rai o'r bobol, dim am y gweddill. Sut medra' i gofio
enwau'r holl gymeriadau digri a oedd yn Aber yn yr un
cyfnod â hi? Eleni mae un wedi anfon llun diweddar ohoni'i
hun ac mae hynny wedi creu gwynfyd i Hilda May. Mae'n
hawdd deall, oddi wrth steil y wisg a'r modd y mae'r
gwallt wedi'i drefnu, mai athrawes wedi ymddeol ydy hi.

'Mae'n sicr dy fod yn cofio hon,' meddai fy chwaer.

Wel, efallai bod y darlun yn un da ond y cyfan y gallwn
ei wneud oedd ymbalfalu drwy'r cysgodion sydd wedi mynd
yn gwmwl ar f'ymennydd a cheisio cofio enwau rhai o'r
myfyrwyr a fyddai'n meddiannu ein cartref yn ystod
gwyliau'r haf flynyddoedd cyn y rhyfel, ac yn carcharu Lisi
Ann a minnau mewn pynciau academaidd, a ninnau'n rhedeg
am ein bywydau. Fe ddylai Hilda May sylweddoli 'mod i a
Lisi Ann flynyddoedd yn ieuengach na hi.

Edrych yn gyflym drwy 'nghardiau — wedi cael tri eto
oddi wrth bobol nad oeddwn wedi meddwl amdanynt. Mynd
allan yn reit handi cyn te i brynu tri arall, a chyfarfod â

Bil Parry ar y tro bach. Mae ganddo, unwaith eto, ddirgelwch newydd, newydd. Mae Jan, wyres Mrs Blake, wedi diflannu neithiwr a 'does gan neb yr un syniad i ble. 'Rhen foi yn meddwl y bydd Mrs B. yn cyrraedd yn ôl nos Wener. Crybwyll y gallai'r eneth fod wedi mynd i weld ei thad yn yr Alban neu'i mam yn y De. Bil yn ysgwyd ei ben ac yn dweud nad oedd y car glas o gwmpas neithiwr, a'r ddau ohonom yn ein bodloni'n gilydd bod Jan wedi mynd efo llanc y car glas ac yn gobeithio y byddai'r ddau yn ddigon call i ddod yn ôl cyn dychwelyd Mrs B. Cytuno efo Bil pan ddywedodd nad oedd Jan wedi cael llawer o siawns gan fod yr ysgariad wedi digwydd yr un amser â'r arholiadau, ac mai peth anodd oedd i eneth ddeunaw oed fyw hefo hen sguthan fel Mrs B.

'Roedd holl wyntoedd y cwrt yn fy nwrn pan gyrhaeddais y fflat i ddweud yr hanes wrth Hilda May, ond 'roedd hi'n sgwennu. Atebiad swta gefais : yn y lle cyntaf 'roeddwn i'n busnesa gormod ynglŷn â helyntion y cwrt drwy hel straeon hefo Bil; ac yn ail pa bryd 'oeddwn i'n mynd i sylweddoli ei bod hi'n cyfansoddi sonedau er cof am echdoe. 'Wn i ddim am batrymau'r mydryddu 'ma ond fe ddylai'r testun ei phlesio hi — i'r dim — gan nad ydy hi wedi cymryd cam allan o'r hen echdoe — hyd yn hyn. Wedyn aeth allan heb ddweud i ble ond gan ei bod wedi hel ei thaclau at ei gilydd a'u rhoi yn barchus yn y *briefcase* gwyddwn ei bod yn mynd at Maggie'r Fron Goch am fod honno'n gwirioni ar y sothach 'ma hefyd. 'Rwyf wedi syrffedu'n barod ar glywed sôn am y trefniadau i fynd i Langefni am wythnos fis Awst nesaf, ac eto caf ddifyrrwch wrth ddychmygu am y ddwy mewn carafán. Bydd yn sobor yma dros y 'Dolig, gwrando arni hi a Maggie yn dweud ribidires, y naill ar ôl y llall drwy'r dydd.

Mwynhau 'nhe ar y bwrdd bach o flaen y teledu. Mae'n braf pan yw hi allan a dim angen gosod y bwrdd. Swatio wrth y tân drwy'r gyda'r nos. Mynd i 'ngwely cyn iddi ddychwelyd a darllen ein papur bro. Llun del o Bob Tŷ Hen yn tywys y tarw newydd i'r buarth. Tarw du a gwyn.

*   *   *   *

Dydd Mawrth 21-12-82

Ffonio Lisi Ann (cyn i Hilda May godi) a gofyn 'fedrai hi ddod yma dros y gwyliau. Atebodd fod hynny allan o'r cwestiwn gan fod Richard, chwe mis oed, yn torri dannedd ac yn flin, ac 'allai hi ddim meddwl am adael Ann a phedwar o blant dan wyth oed, a Richard yn bloeddio dros y tŷ, yn enwedig dros y 'Dolig. 'Doedd llong Dic ddim yn glanio tan y Flwyddyn Newydd, meddai, a gobeithio'n wir na fyddai 'na fabi arall ar ôl hynny. Awgrymodd Lisi Ann y buasai'n haws i ni fynd yno. Cytunais a dweud wrthi am ffonio Hilda May ar ôl i mi fynd allan, tuag un ar ddeg, a pheidio â sôn am Richard yn crio.

Carlamais tua'r dre — gobaith yn byrlymu drwy 'nghalon a hyder yn diferu ohoni cyn belled â 'nhraed. Syniad anhygoel oedd meddwl am fynd at Lisi Ann a'r teulu a chael llond bol o sbort am ben pawb. Wedi hanner meddwi cyn cyrraedd y dre.

Gwelais Doris Jones a Mrs Davies capel ni yn loetran yn ymyl y caffi bach, y ddwy'n gwenu ar ei gilydd, megis hen ffrindiau. Dyna arwydd da; hwyrach bod y miri ynglŷn â'r sawl sy'n mynd i borthi'r pregethwr o Lundain ar yr eilfed Sul yn Chwefror drosodd — tan y tro nesaf y bydd 'na greadur pwysig yn dŵad o bellter.

Ciw anferth yn y Llythyrdy; pobol y wlad wedi dŵad i'r

dre mewn dillad newydd sy'n rhy fawr. Methu croesi'r ffordd fawr am ddeng munud am fod y ceir yn gwibio'n sydyn. Ffermwyr mewn ceir drud. Sylwi bod yr oren a oedd wedi cartrefu yng ngheg y mochyn bach yn siop Huw'r cigydd wedi cwympo i'r ddysgl wen sy'n dal iau, a cheg y mochyn bach wedi mynd yn uwch i fyny i'w foch gan wneud iddo edrych yn debyg i un o'r lluniau y byddai Picasso yn eu peintio.

Mae'r dirgelwch ynglŷn â Jan yn dyfnhau. Roedd Bil wedi taro ar hogyn y car glas ac wedi gofyn : 'Ble mae Jan?' (Dewi ydy enw'r bachgen.) Y boi'n anghofio dweud i ble'r oedd hi wedi mynd, yn fwriadol, ond yn bendant y byddai hi'n ôl cyn i Mrs B. gyrraedd.

Fy nghael fy hun mewn sefyllfa o fod rhwng dau feddwl wrth agor drws ein tŷ ni. Tybed a oedd Lisi Ann wedi ffonio? Siŵr o fod. Dyna ble'r oedd Hilda mewn ffwndwr yn sbecian yn y gell iâ. ' 'Dwyt ti ddim wedi tynnu'r twrci allan,' meddai. Egluro'n syml mai 'fory . . . 'Da iawn, achos 'fyddwn ni ddim yma dros y 'Dolig. Mae Lisi Ann wedi ffonio i ddeud ei bod yn ddyletswydd arnom ni fynd at y teulu . . .'

'Beth am Maggie Fron Goch?' gofynnais. Gwasgarai fy nerth wrth feddwl am ei gadael ar ei phen ei hun. Dywedodd Hilda bod Maggie'n mynd hefo ni. Y teimlad rhinweddol a deimlais gyntaf hefyd yn mynd ar ddisberod wrth sylweddoli bod yna ddyddiau hir yn ymestyn o 'mlaen — fel tragwyddoldeb. Mynd yn llipa wrth ofyn a oedd Lisi'n gwybod. Trodd Hilda'n flin ar hynny a dweud mai dymuniad pob Cristion oedd na fyddai neb yn cael ei adael yn unig dros y 'Dolig. (Dechrau pryderu ynglŷn â gadael Bil.)

Angen prynu pedwar o gardiau eto heddiw. Gofyn i Hilda a oedd ganddi gardiau i'w sbario a derbyn gwers am na fedrwn drefnu, ond wedyn rhoddodd hanner dwsin o gardiau i mi — am ddim. Diolchais cyn edrych arnynt — rhai addas i blant bach, doliau a dau neu dri o dedis arnynt i gyd. Sut medra' i anfon cardiau fel hyn i'm hen ffrindiau? Mynd yn filain.

Newid fy meddwl cyn mynd i 'ngwely a dymuno aros yma dros y 'Dolig, rhag i Bil fod yn unig.

Dydd Mercher 22-12-82

Myfyrio am y ffordd y mae popeth a gynlluniwyd gan Lisi Ann a minnau erioed wedi troi yn ein herbyn neu wedi creu ffrwydriad ymhlith y teulu. Ystyried a chredu am ryw ddeng munud mai syniad go dda fyddai i mi ei ffonio a dweud wrthi hi am ffonio Hilda, i ddweud fod y frech goch ar y plant. Yna pan oedd edau wen wanllyd toriad y wawr yn ymddangos dros ben y goeden dderw, ymbwyllais a chofio ein bod eisoes wedi defnyddio'r frech goch. Deall bod oes pob gwaredigaeth fel un y gwyrthiau wedi 'mhasio heibio, heb i mi sylwi.

Hilda'n mynd allan gan gario'r *briefcase* yn ofalus; cyfansoddiadau rhyw eisteddfod yn cael eu hanfon heddiw. Mynd drwy'r fflat, fel mellten, efo'r Hoover cyn iddi hi gael y siawns achos mae hi fel bygwth i'r peiriant am nad ydy'n gweld y clipiau, sy'n dal papur, ar y carped. Dau lythyr iddi, amlen un ohonynt wedi ei deipio'n sâl (dim pwysig), a'r llall yn llawysgrifen hen ffasiwn Anti Kate. Mae'n hen ofnadwy ond byth yn dweud y gwir am ei hoedran.

Mae Bil yn siomedig am 'mod i'n mynd i ffwrdd, ac mae'n dal i bryderu am Jan. Bu yn nhŷ rhieni Dewi heddiw, a rhoddodd ddisgrifiad da i mi o Dewi'n ymnyddu o dan y car glas — lindys anferth yn sgleinio mewn olew. Roedd

Dewi wedi gofyn, 'Be sy'n bod, Mr Parry?' a Bil wedi dweud wrtho ei fod yn mynd at yr Heddlu i ddweud wrthynt nad yw Jan wedi bod yn nhŷ ei nain am dridiau ac y dylai'r swyddogion wneud ymholiadau a rhoi ei llun ar y teledu. Aeth Dewi'n wyn o dan y baw a oedd fel ail-groen dros ei wyneb, a phwysleisio y byddai hi'n sicr o fod yn ôl 'fory cyn i Mrs B. gyrraedd. Bil yn meddwl bod Dewi'n dweud y gwir am fod ei dad yn weinidog ac yn aelod o Ymryson y Beirdd. 'Rhen fachgen yn heneiddio wrth ofyn a oeddwn i'n aros yn hir yng Nghaergybi.

'Dau ddiwrnod, Bil.' Teimlo 'mod i'n ei fradychu.

Hilda yn darllen y llythyrau rhwng y cinio a'r pwdin. Gorfoleddu ar ôl darllen y llythyr oedd yn yr amlen flêr. 'Cyd-ail am delyneg,' meddai. 'Beirniadaeth wych. Mi faswn wedi cipio'r wobr heblaw nad ydy'r pennill olaf yn eglur.'

'Hitia befo, Hilda. Gad i mi ddarllen y delyneg.'

'Afon' oedd y testun ond 'roedd yna fwy o sôn am fynyddoedd yn y gerdd. Methais wneud pen na chynffon o'r holl benillion. Yna dywedodd Hilda — mewn llais pell, 'Mae Anti Kate yn dŵad yma o nos Wener tan nos Sul.' Dirgelwch i Hilda ydy'r ffaith na wnes i greu helynt pan ychwanegodd, 'Mae hi'n deud 'mod i wedi gofyn iddi ddŵad dros y 'Dolig pan eis i yno i aros hefo hi dros y Pasg. 'Does gen i'r un co o hynny.'

'Paid â phoeni, Hilda. Mae Anti Kate yn cymysgu popeth. Ond mae'n well i ti ffonio Lisi Ann rhag iddi ddechrau paratoi ar ein cyfer. A deud wrth Maggie.'

Rhedais draw i ddweud wrth Bil nad oeddem yn mynd, wedi'r cyfan.

Mynd i 'ngwely ar ben fy nigon. Mae'n well gen i aros yn y fflat 'radeg yma o'r flwyddyn. Ac mae'n siŵr y bydd 'na dipyn o ddarostyngiad yn rhai o agweddau Hilda (am fod Anti Kate wedi sgwennu).

*   *   *   *

Dydd Iau 23-12-82

Dweud wrth Hilda'i bod hi'n amser mynd allan a chael gwared â'r anrhegion Nadolig i'n ffrindiau. Mae ei gwên weithiau, hyd yn oed yn ystod y dyddiau byrion, yn f'atgoffa am heulwen deg Mehefin; ond mae 'na ddwy ochr i'w gwên : gwyddwn hynny pan gytunodd bod heddiw'n un o'i dyddiau i fod yn glên hefo Hannah Myfanwy. Nodio'n hir ac yn fain wedyn, fel pren helyg sy'n sychedu am gawod, a dweud na fedrai ddod am ei bod hi'n siarad yn gyhoeddus a rhaid oedd defnyddio'r car. 'Siarad?' ategais mewn llais egwan. Ie, am y gwahanol elfennau a oedd wedi newid agweddau'r wlad tuag at y 'Dolig. Cofio am y cyfarfod a dweud, ' 'Does dim angen mynd i'r capel tan ddau.' Dywedodd bod yn rhaid iddi ddarparu'r araith. 'Dos di, Hannah,' meddai, 'ac fe helpa' i di 'fory os na fedri fynd i bobman heddiw. 'Rwy wedi gwastraffu amser yr wythnos yma, am fod pawb wedi 'nrysu.'

Ceisiais egluro wrthi bod rhaid gorffen mynd â'r anrhegion heddiw, er mwyn cael amser i stwnsian efo'r bwyd 'fory cyn i Anti Kate gyrraedd . . .

Hilda'n dechrau sgriblan . . .

O dan fy maich o barseli cefais syniad ardderchog — eis yn syth i dŷ Mrs Davies. Roedd Gwilym adref o'r coleg, a dywedodd ei bod hi allan. 'Dim ots,' meddaf fi, ' 'faset ti'n hoffi cael arian am wneud ffafr?' Mae'n fachgen deniadol; dywedodd y byddai'n barod i wneud ffafr am ddim ond y byddai'r pres yn werthfawr cyn y 'Dolig. Rhoddais ugain o gardiau lleol iddo a dwsin o barseli a dweud wrtho am fynd ar ei feic. Rhoi 'chydig o bapurau punt iddo a dweud : 'Paid ti â sôn am hyn wrth Hilda May.' Bachgen dawnus, dweud y gallai gadw presantau a chardiau pobol capel ni tan iddi dywyllu. (Fydd yna ddim peryg i Hilda ffeindio allan tan y Flwyddyn Newydd.)

Galw ar Doris, hithau'n awyddus i ailgodi pwnc cinio'r pregethwr i ben y ddalen; ond cyrhaeddodd Huw Roberts Top Doh cyn i mi orfod pasio barn. Dywedais wrthi fod gen i gant a mil o lefydd i fynd iddyn a diflannu fel llwynog. Mynd i Glasfryn a chydymdeimlo efo Meg am fod y bobol drws nesaf wedi adeiladu mur (un bach del) o gylch eu gardd, sy'n peri i'r rhes coed tenau di-ddail sydd ar odre gardd Meg edrych yn debyg i Napoleon a'i griw yn y pictiwr, 'Retreat from Moscow'. Dweud y baswn yn aros noswaith gyfan efo hi yn y Flwyddyn Newydd. (Os yr a' i ymlaen fel hyn mi fydd y flwyddyn nesaf wedi mynd heibio tra byddaf yn cadw addewidion y flwyddyn yma. Mewn dyled fawr yn barod.)

Cyrraedd y fflat hanner awr wedi hanner — Hilda wedi'i heglu hi. Berwi ŵy i ginio a dechrau gweithio'n galed wedyn. Llond y tuniau o *mince* pies a gwahanol gacennau erbyn pump.

'Doedd Bil ddim wedi clywed rhagor o fanylion heddiw. Llyncodd bedair o *mince pies* fel petai ar fin llwgu. Mae dynion, gwŷr gweddwon a hen lanciau'n lwcus, pawb yn cario bwyd i'w tai.

Carwn fynd i gysgu am wythnos rŵan a deffro'n araf deg erbyn y Flwyddyn Newydd.

*   *   *   *

Codi'n fore i drin y twrci — gwneud bwndel parchus ohono a'i roi ar ben y ffrij. Lwc ar f'ochr i am nad oedd Hilda wedi codi ond diflannodd pan ollyngais botel o lefrith. Synnu bod 'na gymaint o lefrith mewn peint. Fy meddiannu fy hun a golchi'r llawr. Clywed Hilda yn y lolfa pan oeddwn yn bustachu rhwng y popty a'r peiriant golchi — fanno 'roedd y stomp fwyaf. Daeth Hilda i'r gegin a llithro, yna'n gwrthdrawo â'r ffrij. Rhuthro pan sylweddolais bod y twrci mewn lle peryglus, ei arbed a'i gofleidio fel petai'n fabi. Hilda yn sglefrio i gyfeiriad y popty a'r bwced o ddŵr. Llwyddo i symud y bwced drwy wyro a rhoi hwb bach iddi hefo 'mhenglin, ond Hilda wedi cwympo erbyn hynny ac yn bloeddio bod ganddi boen yn ei throed. Hanner ei chario i'r lolfa a'i rhoi i eistedd yn y gadair wrth y ffenest. (Mae'n mynd yn blentynnaidd — yn meddwl ei bod wedi torri asgwrn.) Gosod ei throed mewn dysgl o ddŵr oer a mynd i wneud te a thost a damio Hilda o dan fy ngwynt. Bandaisio wedyn a dweud 'mod i'n sicr nad oedd hi wedi torri dim. Sŵn siomedig yn ei llais pan ddywedodd : 'Mae'n boenus ofnadwy, ond mae'n ffodus na wnes i frifo 'nwylo; byddai hynny'n peri cur wrth drio sgwennu.' Gwylltio a gofyn oedd hi'n gall. Pwy ond ffŵl fuasai'n meddwl am sgwennu dros y 'Dolig? Hilda'n dweud bod yr awen yn ei meistroli. 'Chlywais i'r ffasiwn lol erioed; 'rwy'n sicr bod yr awen sydd ganddi hi wedi mynd allan o reolaeth erstalwm ac wedi gwneud y pethau rhyfeddaf i mi. Rhaid 'mod innau'n hanner call i fodloni ar ei thelerau a byw fel llygoden. Ond mae'r awen yn gyfleus weithiau am ei bod yn gwneud Hilda'n anghofus. Felly, wedi i mi basio rhyw bapurau iddi, dywedais 'mod i'n mynd i ofyn i Bil ddod yma am ginio 'fory. 'O'r gore,' meddai Hilda, 'pasia'r Geiriadur i mi.'

Rhoi'r deryn yn y popty a mynd at Bil. 'Rhen foi'n wên o glust i glust pan soniais am y cinio, ond yn ysu i ddweud ei fod wedi gweld Hilda yn siarad efo Dewi am tua hanner awr ddoe. Pasiodd nhw ar y ffordd i'r banc a bu yno am dros ugain munud cyn mynd heibio i'r ddau am yr eildro yn yr un llecyn, wrth y siop ddodrefn. 'Doedd gen i'r un amcan ei bod hi'n 'nabod Dewi ond pan feddyliais am y peth cofiais fod Bil wedi dweud bod Jan wedi bod yn ein fflat ni droeon pan fyddwn i allan. 'Roedd hynny hefyd wedi bod yn ddirgelwch i mi. Dywedodd Bil y dôi'r cyfan i ben cyn saith gan fod Mrs B. bob amser yn brydlon.

Gan fod y twrci'n barod dri o'r gloch dechreuais bilio'r tatws ond erbyn hynny 'roedd popeth yn mynd o ddrwg i waeth yma. Llawer o ymwelwyr, y naill ar ôl y llall (sôn am draed moch) a Hilda drwy'r cyfan yn dweud stori'r ddamwain drosodd a throsodd a'r bwrdd sy'n agos i'w chadair yn dechrau sigo o dan bwys y parseli bychain. Minnau'n gwneud te i bawb ac yn pitïo na fyddai wedi bod yn bosibl iddynt fod wedi cyrraedd yma gyda'i gilydd; buasai hynny wedi bod yn haws. Griffiths y blaenor yn galw ar ei ffordd o'i waith ac yn rhoi rhagor o destunau steddfod i Hilda, rhai glas a melyn y tro yma, ac yn dweud wrth Hilda am ddal ati a chofio bod yn rhaid i eiriau dalu am eu lle ac y byddai'n siŵr o daro deuddeg cyn hir. Methu deall eu sgwrs (ffyliaid gwirion); mae yntau hefyd yn barddoni. 'Nychymyg yn carlamu — gan milltir yr awr : beth oedd ystyr taro deuddeg? Tybed oedd hi'n mynd i ddechrau dodwy? Gadael y ddau er mwyn cael clirio'r gegin a golchi'r llestri a hwylio pryd erbyn saith. Berwi tatws, pys, a moron Anti Kate ar wahân am nad yw'n cael halen yn 'i bwyd, a meddwl bod yr hen dabledi 'ma ar gyfer y dŵr yn creu ar y mwyaf o firi.

Am chwarter i saith, ffoniodd Ned i ddweud nad oedd Anti Kate yn ddigon da i adael ei bwthyn ac mai'r peth callaf fyddai iddo fo a'i wraig fynd ati am dridiau. Teimlo'n drist ac yn flinedig am fod teulu bob amser mor anwadal, ond Hilda'n dweud mai rhagluniaeth oedd hyn gan fod ei throed yn rhy boenus iddi hi fedru meddwl am Anti Kate. 'Roedd hi'n sbecian drwy'r testunau glas . . .

Daeth Bil at ffenest y gegin (yn ddistaw bach) i ddweud fod Jan a Mrs B. wedi cyrraedd, ond nad yw'n gwybod mwy, hyd yn hyn.

Ffrio llysiau Anti Kate a chael tamaid bach blasus ar ôl i Hilda fynd i'w gwely ond dioddef tonnau o ddŵr poeth wedyn.

Lludded llwyr.

*   *   *   *

Dydd Sadwrn 25-12-82

Pobman yn edrych yn unig a'r wawr yn gyndyn o godi. Mae pawb wedi mynd o'r cwrt ond y ni, Bil, Mrs B., a dau neu dri arall. Distawrwydd yn ei fynegi'i hunan, megis gofid, yn sisial y dail bach sy'n cydio'n dynn yn y coed bytholwyrdd. 'Rwy'n dychmygu'r pethau rhyfeddaf weithiau Hwyrach 'mod i'n mynd yn debyg i Hilda. Efallai mai'r syniad nesaf fydd sgwennu stori fer. Go brin; mae un ynfyd yn y teulu'n ddigon, yn enwedig o dan yr un to. Drws stafell Hilda'n gilagored; cip edrych arni'n cysgu'n braf. Mynd â'i brecwast iddi. Dywedodd bod ganddi boen o hyd, ond plesiodd y brecwast yn ei gwely. Dyna hi wedi llwyddo i ddwyn sylw — unwaith eto. Rhoddais docyn llyfr iddi, a hithau arian i mi fynd i siopio yn y Flwyddyn Newydd. Gogoniant ydyw meddwl am wario; mae arian erioed wedi bod yn dân yn fy mhwrs. Llandudno amdani ymhen yr wythnos . . .

Lisi Ann yn ein ffonio, popeth yn iawn yno, ninnau'n ffonio Anti Kate, a oedd wedi anghofio'n barod y dylai fod yma. 'Doedd dim diben ffonio neb arall o'r teulu gan eu bod oll mewn henaint ac yn drwm eu clyw. I raddau mae eu henaint wedi bod yn gysgod di-olau drosof, rŵan ac yn y man, drwy'r dydd.

Pasio'r car glas ar y ffordd i'r Fron Goch. Dewi a Jan yn chwifio; hoffwn gael gwybod i ble'r aeth Jan. Maggie'n barod. Glaw mân yn disgyn yn hamddenol o'r cymylau sydd wedi gorweddian yn swrth dros Ddyffryn Clwyd am wythnos.

Hilda a Maggie'n clebran yn ddi-daw, minnau'n penderfynu y byddai'r cinio yn barod erbyn un. Dim anffawd eleni. Bil yn brydlon yn 'i siwt orau, yr un lwyd sy'n rhy dynn. Rhoi potel o win cinio i ni. (Helynt wrth dynnu'r corcyn. Ta waeth, mae hynny rhyngo' i a'r botel.) Mwynhau'n cinio ond bwyta gormod. Cael sgwrs ddiddorol (a thrist) am gyflwr y byd. Mae Bil yn eithaf gwybodus ac wrth gwrs mae dyn yn rhoi mwy o sglein ar sgwrs na dynes. Ymhen hanner awr wedi i Maggie a finnau glirio popeth, 'roedd y tri'n cysgu'n drwm; siawns i mi chwilio drwy'r parseli. Pacedi o bethau da o Marks ydy'r mwyafrif. Taro ar barsel bach caled a thynnu hwnnw allan o'r papur — tâp *Ychydig Hedd* Trebor Edwards. Hiraeth yn fy mygu . . . Ychydig hedd, dyna faswn innau'n hoffi ei gael, yn fwy na dim. 'Fedrwn i ddim rhoi'r tâp i fynd am fod y tri'n dal i gysgu. Llesteiriant eiliad yn troi'n ddwyster am hanner awr wrth syllu ar dri mewn henaint ac ar y pwysau sy'n mynd yn wendidau yn y sawl sy'n heneiddio — a sylweddoli 'mod i'n dilyn.

Yr hen bobol yn rhy flinedig i fwyta llawer amser te. Syllais yn hir ar y bwyd — yr holl weddillion — a meddwl yn euog am y newyn parhaol sydd yn y gwahanol rannau o'r Trydydd Byd.

Dewi a Jan yn galw. Hilda'n bywiogi wrth weld yr eneth ac yn gofyn a aeth popeth yn iawn. Jan yn nodio. Gwawrio arna' i bod Hilda yn gwybod popeth. (Gallwn ei 'sgytio.) Dewi'n cynnig mynd â Maggie'n ôl i'r Fron Goch. Mae'n biti nad yw daioni a charedigrwydd yr ieuenctid yn derbyn sylw.

Cofio am y tâp ar ôl i Bil fynd a dweud wrth Hilda, 'Ychydig Hedd . . .'

'Ymhen deng munud, gad i mi sgriblo llinell neu ddwy, Hannah.'

Sgriblo, sgriblo. Gofyn beth oedd mor bwysig.

'Carol Nadolig.'

Minnau'n meddwl am ein hen gartref ac yn cofio'r hen Nadolig, ac yn teimlo'n siomedig, ac yn dweud, ' 'Does neb wedi sôn am Iesu Grist heddiw.'

Hilda yn rhoi'i biro i lawr. 'Beth ddwedaist ti, Hannah?' 'Nad oedd neb wedi sôn am Iesu Grist.'

'Llinell dda, Hannah. 'Rwyt ti wedi rhoi syniad i mi.'

Chwerthin, ar fin mynd i gysgu, wrth feddwl bod hen bechadur fel fi wedi rhoi syniad am emyn i Hilda May.

*　　*　　*　　*

Dydd Sul 26-12-82

Oedfa'r bore; cyfarfod gweddi a rhyw ddwsin yn y capel. Doris Jones o'r diwedd yn codi ar ei thraed ac yn gofyn (yn anobeithiol) oedd yna rywun yn y gynulleidfa yn awyddus i ddod ymlaen. Gwyro 'mhen rhag ofn iddi edrych yn syth ataf i, a'm galw. Rhoi 'mhen yn is i lawr — fel iâr ar y glaw. Teimlo'n grynedig, a sylwi bod Mrs Huws a Miss Evans hefyd yn gwingo. 'Rydym ein tair wedi dweud wrth Doris eisoes na fedrwn ddygymod â'r syniad o ddarllen na siarad yn gyhoeddus. Dylai ddeall fod ambell greadur yn cynhyrfu. Pawb yn ymlacio pan ddechreuodd hi'r gwasanaeth, a phawb yn bodloni pan gariodd ymlaen. Mae Doris yn wych; gallai fod wedi mynd i'r weinidogaeth heddiw. Efallai nad aiff — nid yw'n fyrbwyll. Yn ystod y casgliad, Meri'r sêt tu ôl yn fy mhwnian ac yn sibrwd (dros y capel): ' 'Ydy Jan wedi deud yr hanes?' Minnau wedi mynd i'm hen atgofion a heb feddwl am Jan ers ddoe ac wedi hanner anghofio'r dirgelwch, ond Jan yn dychwelyd yn fyw ac yn iach i heddiw pan glywais Meri'n dweud yn fy nghlust bron : 'Mae hi wedi bod am gyfweliad. Mae'n mynd i Guy's os medr hi basio'r A yn Saesneg.'

Dychwelyd i'r dre ar hyd llwybr dwys Eglwys Mihangel Sant. Unigrwydd yn fy nhrechu am nad oedd yna greadur arall ar y llwybr, ac ambell fedd hefyd yn edrych yn unig, heb flodyn. Mae hon wedi mynd yn oes ddifater. Ydy, hyd yn oed cyd-rhwng dwy chwaer; sylweddoli bod Hilda wedi cadw cyfrinach Jan iddi'i hun tra oedd Bil a finnau'n dyfalu ac yn pryderu.

Y ddwy ohonom yn bwyta gweddillion cinio ddoe ac wedi diflasu'n barod ar y twrci. Hilda'n cyhoeddi bod ei throed yn well ond mai ei orffwys fydd raid tan noson cinio'r hen athrawon, yn sicr.

Rhoi tâp Trebor Edwards i fynd ond f'ychydig hedd yn dirwyn i ben yn sydyn pan glywais Hilda'n bloeddio, 'Dewch i mewn.' A Jan yn dod ac yn gofyn a fuasai'n gyfleus i fenthyca *1984*. Hilda'n dweud, 'Wrth gwrs.' Minnau'n meddwl, 1982 ydy hi am rai dyddiau a 1983 fydd hi wedyn. Mae'r ddwy yma'n gwirioni. 'Mae wrth law,' ychwanegodd Hilda a phwyntio tuag at y bwrdd sy'n dal ei pheiriant teipio. Syndod mawr i mi oedd gweld Jan yn rhoi ei llaw ar lyfr a'i godi, 'Dyma fo, Miss Jones. Diolch i chi.'

' 'Fasech chi'n hoffi paned, Jan?' gofynnais.

'Fe wna' i baned i chi'ch dwy,' meddai'r eneth. ' 'Rwy'n gwybod ym mhle i gael hyd i bopeth.'

Mae'n siŵr ei bod os ydy hi wedi bod yma'n gyson achos 'tydy Hilda ddim yn gwybod lle mae tap y dŵr poeth pan yw'n amser golchi llestri. Cawsom baned dda iawn; gresyn na fyddai Jan yn dod draw yn amlach. Rhoddodd Hilda ryw bapurau iddi a dweud y dylai hi basio'r tro nesaf. Dyna pryd y sylweddolais fod Hilda wedi bod yn rhoi gwersi iddi, a bod yna gwlwm rhyngddynt. Eiliadau ynghynt 'roeddwn i ar fin gofyn i Jan am ei chyfweliad. 'Wnes i mo hynny, byddai wedi bod yn bechod disodli ffydd yr eneth; byddai'n siŵr o feddwl bod Hilda wedi dweud wrtha' i. Mae Jan wedi dioddef digon eisoes yn ystod cyfnod yr ysgariad. Chware teg i Hilda am drio ailgynnau ei hyder a thanio ei gobaith.

Hilda a minnau yn mwynhau gwrando ar *Ychydig Hedd* ar ôl te.

Mae'n glawio eto heno. Wedi meddwl mynd draw i ddweud yr hanes newydd, newydd, wrth Bil. Ond gall Guy's ddisgwyl tan 'fory. Hoffwn innau fynd yno hefyd, yn llances yr un oedran â Jan — am yr eildro.

Y CRWYDRYN

Ddiwedd mis Chwefror eleni daeth gwynt o'r gorllewin gan lwyr ddileu mwynder y gaeaf. Rhwygodd ei wylltineb y cymylau a pheri iddynt ollwng teirawr o eirlaw'n ddilyw dros flagur a thros flodau. Yna, gyda'r nos, a llid y gwynt yn gostegu, aeth y dymheredd raddau yn is a disgynnodd y cawodydd eira.

'Ar noson fel heno, Bob !'

'Ie, gwaetha'r modd. Mae'n rhaid i mi weld George Adams a threfnu . . .'

Anfynych y byddai Bob yn gorffen brawddeg bellach.

Edrychodd Cadi'n fyfyriol i gyfeiriad fflamau ffug y tân nwy a meddwl mor rheolaidd eu symudiadau oedd y fflamau cochion, ac mor ddibynnol oedd gwres y tân. 'Roeddent yn gyson — fel ei bywyd Bob a hithau gynt. Hyd at flwyddyn yn ôl . . .

'Mae'r eira'n mynd i ledu i bobman erbyn y bore yn ôl y newyddion,' meddai Cadi a'i llais yn flinedig. Yna ychwanegodd : ' 'Fyddi di allan yn hir, Bob?'

'Mae'n dibynnu . . .'

Anfynych y byddai Bob yn rhoi ateb uniongyrchol i unrhyw gwestiwn bellach.

Wedyn dywedodd Bob : 'Mi a' i rŵan.'

Ac atebodd hithau: 'Mae'n hanner awr wedi naw yn barod.'

'Paid ti ag aros ar dy draed, rhag ofn . . .'

'A phaid tithau â threfnu i neud dim yn ystod y pen-wythnos ac anghofio Priodas Aur 'mam a 'nhad.'

'Diawl, Cadi bach, 'roeddwn i wedi anghofio hynny'n barod ac yn bwriadu mynd i'r swyddfa a chael trefn ar bethau. Mae hynny wedi bod yn anodd yn ddiweddar. A chan 'i bod hi'n tynnu 'mlaen at ddiwedd mis Mawrth . . .'

' 'Dwyt ti ddim o ddifri !'

'Mae'n anffodus, mi wn i hynny. Y peth gore fydd i ti fynd ar dy ben dy hun a bwrw'r Sul hefo nhw.'

' 'Fydd hynny ddim yr un peth, ac mi fyddan nhw'n siomedig.'

'Wel, 'does dim help am hynny. Ond gan nad ydyn nhw'n dymuno cael parti 'fydd dim ots ganddyn nhw. A pheth arall, mi fyddan nhw'n falch o gael dy gwmni ar dy ben dy hun. Mae rheswm yn deud . . .'

Bellach 'roedd Bob yn meddwl fod ganddo'r ddawn i ddarllen meddyliau pobol, er bod meddyliau'r bobol hynny hanner can milltir o'i olwg.

'Mi a' i rŵan,' meddai am yr eildro, a ffwrdd â fo i'r cyntedd, ac ymhen rhyw hanner munud clywodd Cadi glep drws y ffrynt.

Eisteddodd Bob yn ei gar a thanio'r peiriant a chyn bo hir 'roedd o'n gyrru i gyfeiriad ei gyrchfan. 'Roedd o'n anniddig iawn am fod June wedi ffonio'i gartref; fe wyddai hi'n iawn fod hynny'n groes i'w ddymuniad. Wedi'r cyfan, sawl gwaith yr oedd o wedi ymbil arni i beidio â gwneud hynny? Byddai'n rhaid iddo ddweud wrthi eto heno a gwneud yn siŵr ei bod hi'n deall. Unwaith ac am byth.

A pheth arall, 'doedd o ddim yn awyddus i'w gweld hi o gwbl yn ystod yr wythnos am fod hynny'n gwneud y sefyllfa rhyngddo a Cadi yn hynod o gymhleth, yn annioddefol o galed yn wir. Ac o, mor anodd oedd meddwl am wahanol esgusion . . .

Trodd i'r dde ac yna i'r chwith a stopio'r car o dan y goeden arferol. Wedyn eisteddodd yn y car am dipyn a gwylio'r plu eira ysgafn o dan oleuni'r lloer, yn dawnsio o'u huchelfannau ac yn disgyn ac yn troi ac yn trosi ychydig, ac yn sboncian cyn gorffwys.

Meddyliodd Bob : gorffwys, dyna a hoffwn innau. Mynd i orwedd mewn man cyfarwydd, cynnes a gwylio 'mhroblemau'n esgyn i'r cymylau pell a hwylio ar daith hir, o gylch y byd — a pheidio â dychwelyd. Ond pe mynnent wneud hynny, yna byddent yn elfennau hawdd eu trin, hawdd i'w goddef, fel plu eira ysgafn neu law tyner neu wlith swil. Ond nid fel storm o wynt. Gall gwynt droi ei gynffon neu wyro'i ben a throi'n gorwynt, gan ddryllio dyn a'i egwyddorion yn gandryll.

Hanner awr yn ddiweddarach gofynnodd Bob iddo'i hun : a ydw i wedi rhag-weld hyn oll? A phan glywodd June yn dal i floeddio o'r fan lle y safai o flaen y tân trydan gwyddai, heb elfen o amheuaeth, iddo wneud hynny.

Â'i llais treiddgar ychydig yn is ond yn dal yn anwadal dywedodd June : 'A pheth arall, mae gen innau hawliau hefyd. 'Does gan dy wraig ddim hawl i dy gadw di fel ci bach a'th dywys yn hamddenol y tu ôl iddi, y tu ôl i'w sodlau. A 'does gen tithau ddim hawl i 'nghadw i'n hongian ar gwr dy fywyd am bron i flwyddyn a disgwyl i mi aros amdanat ti yn y fflat, a bod yn hawdd i 'nghael, bob tro 'rwyt ti'n dymuno galw heibio yn y tywyllwch, neu 'nghyfarfod mewn lle anghysbell pan fo'r dydd yn ymestyn . . .'

'Ond, June . . .'

'A chan ein bod ni'n byw yn niwedd yr wythdegau ac nid yn y chwedegau hyd yn oed, pan wawriodd rhyddid i ferched, mae gen i hawl hefyd i ddisgwyl i ti ddweud wrth Cadi Lloyd Jones amdana' i ac am ein carwriaeth . . .'

'Sut medra' i neud hynny?'

'Mae'n hawdd, dim ond yngan ychydig o eiriau sy' raid i ti.'

' 'Rwyt ti'n gwybod o'r dechrau nad oeddwn i . . .'

'Byth am frifo teimladau Cadi. Byth am gael ysgariad . . .'

'Wel, os oeddet ti'n gwybod ac yn derbyn hynny, June, pam yr helynt heno?'

'Am nad wy'n fodlon gwastraffu mwy o amser, ac am nad wy'n dymuno dychwelyd i'r byd sy' tu hwnt i ti a muriau'r fflat, ar ôl i bawb anghofio amdana' i a chael fy nghyfarch fel petawn i'n estron . . .'

'Ond, June . . .'

'Gad i mi orffen.' Ailddechreuodd June ar ei monolog: 'Am 'mod i wedi syrffedu ar y sefyllfa. Am 'mod i wedi sylweddoli nad oes raid i mi wylio 'mywyd yn mynd heibio mewn unigrwydd rhwng tinc y ffôn a sŵn cloch drws y ffrynt. A thra mae pawb yn parchu dy wraig . . .'

'Cadw di enw Cadi allan o hyn, June. 'Dydy hi ddim wedi gneud drwg i neb. Mae hi'n haeddu pob parch . . .'

'A 'dydw i ddim . . .'

' 'Ddwedais i mo hynny . . .'

'Ond mae dy ddull yn cyfleu'r cyfan, Bob.'

'Wel, pam gwnest ti ffonio heno? Dim ond i greu storm fel hon . . .'

'I gynnig y siawns olaf . . .'

'Y siawns olaf!'

'Ie, os nad wyt ti'n bwriadu 'mhriodi . . .'

'Sawl gwaith . . .'

'Yr wyt ti wedi gwrthod . . .'

'Ie.'

'Yna, 'rwy'n mynd yn ôl at Huw . . .'

'Yn ôl at Huw!'

Cydiodd Bob yn ei llaw a cheisio ei thynnu tuag ato . . .

'Mae'n rhy hwyr,' meddai June yn oeraidd, 'ac mi 'rwyt ti'n rhy hen. Mi sylweddolais i hynny hefyd dro byd yn ôl.'

Buasai clewtan ar draws ei wyneb wedi brifo llai ar Bob. Buasai cweir hyd yn oed wedi brifo llai. Cododd a mynd at y gadair lle'r oedd ei gôt tra dywedai June, ''Rwy wedi cyfarfod Huw, ac wedi cael gair ag o'n barod.'

''Rwy'n mynd . . .'

'Ac yn fuan cawn garu drwy'r nos . . .'

Cerddodd Bob tuag at y drws. Agorodd ef a cherdded i ffwrdd heb edrych ar June.

Tua deg o'r gloch aeth Cadi am fàth, a thua hanner awr wedi deg gwnaeth baned o de a mynd â hi i fyny'r grisiau i'w hystafell wely. Wrth roi'r te o'i llaw, meddyliodd: 'fydd Bob ddim yn ôl am oriau.

Cerddodd at y ffenest a thynnu un o'r llenni ac edrych ar blu'r eira yn disgyn yn araf, araf, a llewyrch y lleuad lawn yn goleuo eu llwybrau, a hwythau yn y nos las-dywyll yn ymhyfrydu yn eu rhyddid.

Meddyliodd Cadi : mor anodd yw syllu ar unrhyw bryd-ferthwch pan fo calon yn cael ei gwasgu i'r eithaf.

Tynnodd y llenni a mynd i'w gwely ac yfed y te. Yna gafaelodd yn ei llyfr newydd, *The Satanic Verses,* ond er ei bod wedi bod yn awyddus i'w ddarllen ers wythnosau, bellach 'allai hi ddim darllen, a rhoes y llyfr i lawr.

Diffoddodd Cadi'r golau a syllu i'r tywyllwch. 'Allai hi ddim dioddef y tywyllwch mwyach. Atgoffai hi o'i dyfodol, a'r cyfan a welai yn ei dyfodol oedd unigrwydd. Rhywfodd neu'i gilydd 'roedd yna gydystyr yn ei meddwl rhwng y ddau air : tywyllwch a dyfodol. 'Roedd hi wedi meddwl drwy'r haf mai rhywbeth dros dro oedd y cysylltiad rhwng Bob a'r eneth June ac wedi gobeithio yr âi drosodd pan ddôi'r tywydd teg i ben. Ac 'roedd yna fwy i fynd â'i meddwl, mwy i'w wneud yn yr haf, yn enwedig gyda'r hwyr dan hud y machlud, a addawai iddi yr yfory gwell mor fynych. 'Roedd pethau syml i'w gwneud bryd hynny, pethau syml fel twtio pennau blodau a rhoi y rhai a oedd wedi crino i dawel huno mewn cornel unig o'r ardd. A meddwl tra gwnâi hynny : i ble mae fy hanner canrif wedi mynd : ond yn fwy pwysig na hynny, ble yn hollol y cymerais i'r tro i'r chwith yn hytrach na'r tro i'r dde yn fy mhriodas, a siomi Bob?

Ond pan ddaeth yr hydref a'r coed yn foelion blwng, ddaeth dim arwydd fod y garwriaeth yn oeri nac yn pallu, yn wir, yr oedd hi'n hollbwysig erbyn hynny. Ac eto 'roedd yna eto bethau syml i'w gwneud fel twtio o gwmpas y coed a hel y dail crimp a'u rhoi yn daclus ar y domen. A thra gwnâi hi hynny byddai'n meddwl : gobeithio y bydd Bob wedi dychwelyd, ym mhob ystyr, erbyn y dydd byrraf. Beth fedra' i ei wneud ond gobeithio er arbed ein priodas wyth mlynedd ar hugain?

Ond erbyn y Nadolig 'roedd gobaith Cadi wedi mynd cyn wanned â goleuni'r dydd.

Trodd ar ei hochr dde yn y gwely a meddwl : sut medra' i ddioddef mwy? Gadawn o yfory oni bai fod Siân yn priodi ym mis Mehefin. Sut fath o ddydd priodas a allai ein hunig blentyn ei ddisgwyl, pe bawn i'n mynd? Bydd yn rhaid i mi actio'n hollol naturiol, fel pe bawn yn amau dim, tan ar ôl hynny . . .

A beth wedyn? Unigrwydd, debyg.

Efallai na chlywodd hi mo sŵn ysgafn ei droed i lawr y grisiau. Efallai ei bod hi wedi hanner breuddwydio mewn rhyw stad bell o fod mewn hanner-cwsg ac eto'n hannereffro'r un pryd. Ond dyna'r sŵn ysgafn eto . . . Rhoes Cadi'r golau ymlaen — hanner awr wedi un ar ddeg. Na, 'roedd y nos yn ifanc o hyd; 'fyddai Bob ddim wedi dychwelyd . . .

Gorweddai Bob ar y soffa yn y lolfa. Edrychai'n flinedig ac yn hen, yn llawer hŷn na'i drigain mlynedd. Ac yn ei lygaid glas 'roedd yna sglein newydd; neu efallai mai deigryn neu ddau oedd newydd eu gadael. Eto gwenodd arni'n dirion a dweud : 'Fe fydd popeth yn iawn ynglŷn â'r penwythnos . . .'

Gwenodd Cadi'n ôl arno a dweud, 'Wel, dyna ollyngdod . . .'

Y CORWYNT

Sŵn y Don,
Cartref yr Henoed,
Llandecaf.

1-2-88

Annwyl Mary,

Mis Chwefror o'r diwedd, a gaeaf arall o elfennau anwadal yn dechrau dirwyn i ben. Mae'n stormus iawn eto heddiw a'r gwyntoedd cryfion a'r cawodydd trymion yn creu ynof ddigon o anniddigrwydd i ysgrifennu llythyr o eglurhad atat, yn hytrach na sgriblan llinellau byrion o esgusion.

Tywydd fel heddiw oedd hi ganol mis Hydref pan ddeuthum yma, ac fel y gwyddost (mwy na thebyg) bu llawer o ddifrod yng Nghymru a Lloegr yn ystod yr amser hwnnw. Erys stŵr y storm honno yn fy nghlyw fel cyd-ddigwyddiad — neu ganlyniad gwaethaf ysgariad Pam — chwalfa teulu cyfan.

Mae'n debyg bod y storm honno'n anelu at ei hanterth pan oeddwn i'n croesi o gar Meg tuag at fynedfa'r Cartref — bron i bedwar mis yn ôl. Bydd yn anodd i ti gredu bod sŵn y storm yn fy nghlyw o hyd, a 'does ond angen chwa o wynt ysgafn rŵan i ennyn dig sŵn y gwynt (sydd wedi hawlio 'nghlyw) a pheri iddo ffyrnigo a thorri'n rhydd, fel corwynt, gan feddiannu 'mhen.

Y peth uffernol ynglŷn â hyn oll yw nad oes yna feddyg yn

81

y dref, na chwaer na nyrs yn y Cartref, sy'n coelio'r un gair 'rwy'n ei ddweud am y sŵn sydd yn fy mhen, gan fod gweddill y cleifion yn dychmygu pob math o bethau gwirion, neu heb y gallu (neu'r ddawn!) i ddychmygu o gwbl. Bydd yn hawdd i ti, felly, ddeall fy rhwystredigaeth ynglŷn â'r sefyllfa. Nid teimlad plentynnaidd mohono — gwn 'mod i'n cael cam. Wrth gwrs, fel pawb arall, 'rwy'n cael llond byd o dabledi, pob siâp a phob lliw. Ond y cyfan sy'n digwydd wedi i mi eu llyncu yw 'mod i'n syrthio i gysgu'n drwm ac yna ymhen dim mae'r sŵn yn ailgynhyrfu yn fy mhen ac yn fy neffro'n sydyn, a chwys oeraidd yn treiglo drosof.

Ond 'doeddwn i ddim wedi bwriadu cwyno heddiw. Yr hyn sydd arna' i 'i angen yw dadlwytho'r hanes arnat ti — ond 'rwyt ti mor bell. Mae Darwin wedi mynd ymhellach nag erioed ers dyddiau'r ddrycin ym mis Hydref, ac eto wedi nesáu tipyn wedi i mi wylio dathlu'r dauganmlwyddiant ar y teledu. Rhywfodd, yn ddiweddar, 'rwy wedi cymryd mwy o ddiddordeb yn y dathlu yn Awstralia a streic y nyrsys ym Mhrydain Fawr nag mewn dim arall.

Pe bawn wedi rhag-weld yr ysgariad, hyd yn oed hanner modfedd o 'mlaen, gallai poen yr ysgytiad hollol a gefais fod wedi bod yn llai — o lawer. 'Rwy'n siŵr y galli ddeall, felly, mai anghrediniaeth, yn y lle cyntaf, oedd y cur mwyaf i mi. 'Fedrwn i ddim derbyn bod f'unig blentyn, a hithau'n bymtheg a deugain oed, yn dymuno, na, yn mynnu cael ysgariad oddi wrth ŵr fel Huw, gŵr nad oedd erioed wedi meddwl am y dydd y byddai ei briodas ddeng mlydd ar hugain oed yn dod i ben. Dyn hyfryd o ddymunol nad oedd yn haeddu'r fath argyfwng yn ei fywyd.

Gwn dy fod ti wedi byw yn Awstralia am wyth mlynedd ar hugain (ac yn llawer ieuengach na mi) a'th fod wedi cael pob cyfle i droi mewn gwahanol gylchoedd i'r rhai sydd wedi dylanwadu ar drefn fy mywyd i, ac efallai y bydd yn anodd i ti ddirnad na allwn dderbyn ysgariad fel rhywbeth cyffredin (normal, pe mynnet daeru) sy'n digwydd i sawl un. Math o salwch ofnadwy tebyg i'r cancr yw ysgariad i mi sy'n mynd i sigo rhywun neu ryw deulu yr holl ffordd i'r llawr ond byth yn mynd i gyffwrdd â mi na'm teulu.

Gwn fod fy nghefndir yn gul iawn, hyd yn oed o'i gymharu â chefndir llawer o'm cyfoedion. Gwn hefyd fod f'agweddau erbyn hyn yn hynod o hen-ffasiwn. 'Rwy'n rhoi'r bai am hyn (os mai bai yw'r gair priodol) ar y ffaith mai gweinidog oedd Bob, a'm bod wedi gorfod cynilo cymaint ar ôl iddo fo farw, er mwyn rhoi byd esmwyth i Pam yn ei harddegau a gwneud yn siŵr fod ganddi broffesiwn. Fe aeth y cynilo hwnnw yn obsesiwn, Mary bach, ac erbyn heddiw mae'n ddwyster gan fod cynilo wedi dwyn holl flynyddoedd fy mhriodas hefyd — a'u sarhau.

Na, 'doedd gen i ddim digon o arian i gymysgu â'r bobol anturus a oedd yn neidio'n flêr o'u priodasau gan dywys y dieuog tuag at ysgariad. Mor hir y credais mai pobol i ddarllen amdanynt, ymhell o'm cynefin, oedd y rhai hyn — fel Elizabeth Taylor a Richard Burton. Yna gwawriodd arnaf yn boenus o araf deg (fel y mae popeth yn gwawrio arnaf) fod yna rai tebyg yn byw yn y dref, yn y tai crand sy'n arwain i'r bryniau.

Mae'n rhaid i mi fynd am ginio rŵan. Mae'r gloch wedi canu a rhaid yw ufuddhau i bob tinc a chnoc yn y lle diflas hwn. Byddaf yn rhoi pwtyn arall i mewn ymhellach ymlaen.

2-2-88

Mae gen i stafell i mi fy hun yma. Efallai mai unigrwydd yw'r unig fendith bellach achos mae gweddill y merched yn siŵr o fod yn gwybod hanes Pam. O, fel y gall cywilydd ysu ysbryd !

Fel y gwyddost, wedi i Meg fynd i'r ysgol uwchradd dychwelodd Pam i weithio yn yr ysbyty ac ymhen blwyddyn cafodd swydd Chwaer yn y theatr. A thrwy'r amser 'roedd Huw druan yn athro yn Ysgol Llain Bach ac yn rhy fodlon i feddwl am symud, ac yn ôl Pam a Meg yn rhy ddiog i roi blaenau bysedd ei droed dde ar ris isaf ysgol i drio cael newid ei le heb sôn am ddyrchafiad.

Eto 'roeddwn i'n meddwl fod ganddyn nhw fywyd delfrydol. Mor fynych y gall mam gamddehongli sefyllfa! A sawl tro yr ydw i wedi gofyn hynny?

Blwyddyn i rŵan oedd hi pan ddaeth meddyg o'r Unol Daleithiau i weithio i'r ysbyty. Bu yno am dri mis. A phan ddaeth ei gyfnod i ben, ddiwedd Mai, dywedodd Pam wrthyf ei bod hi'n trefnu i'w ddilyn i Galiffornia. A minnau'n gyndyn i ddeall ac yn gofyn pam. A hithau'n ateb, mewn llais isel-ddwys, fod yn rhaid iddi fynd am fod eu teimladau tuag at ei gilydd yn fwy na nhw, yn wir yn fwy na'r byd. Ond gan nad oeddwn i wedi meddwl am ddim byd mwy yn fy mywyd na'r angen i'w dwyn hi i fyny'n weddol dda, 'fedrwn i ddim deall gair o'r eglurhad.

Efallai mai hynny a barodd i mi ffwndro rhywfaint. A gallwn hefyd fod wedi gobeithio mai hunllef oedd y cyfan.

Hyd noswaith ymweliad Huw.

Digwyddodd hynny bythefnos yn ddiweddarach ar noswaith wyntog o Fehefin. O, fel mae'r gwyntoedd oll wedi rhuo . . .

Dywedodd wrthyf yn blaen, ond yn garedig dros ben, fod Pam yn mynd ddiwedd y mis, ac y byddai'r ysgariad drwodd ddiwedd yr haf, ac nad oedd angen gwerthu'r tŷ a rhannu popeth gan nad oedd Pam yn dymuno cael dim ond rhyddid.

Fe wnaeth Pam ei gorau i'm bodloni cyn mynd a dywedodd, laweroedd o weithiau, y cawn fynd ati am ysbeidiau hirion, a rhodio'n dawel o dan yr heulwen a ddisgwyliai amdani hi.

Ond 'fedrwn i ddim ymateb na dymuno'n dda iddi achos 'roeddwn i wedi mynd i dywyllwch oeraidd gwaelodion cragen erbyn hynny.

Byddai Meg yn dod ataf bron bob wythnos, traffig neu beidio, yr holl ffordd o Fangor, ac aeth hyn ymlaen am rai misoedd. Yna aeth Bethan yn sâl. Mae hi'n ddeuddeg oed. 'Ddeallais i ddim pa fath o wendid sydd arni, ond mae hi mewn oedran drwg.

Wedyn, er mawr syndod i mi, gwerthodd Huw y tŷ a chymryd ymddeoliad cynnar a mynd i fyw at ei chwaer i Ynys Môn. Mae o'n nes at Meg a'i theulu yno hefyd. Chwarae teg iddo, byddai'n dod i'm gweld o dro i dro, a byth yn waglaw.

Ond lle unig oedd y bwthyn wedi i Pam a Huw fynd i'w gwahanol ben-deithiau.

Cefais ddau neu dri o lythyrau oddi wrth Pam o'r Unol Daleithiau. Dim sôn am briodi hefo Grant (on'd oes gan ddynion enwau rhyfedd yn y fan honno?) ond llawer o sôn am deithio yn ei gwmni i bob math o lefydd pwysig a diddorol, ac yn eu plith Disneyland . . .

Euthum yn gynddeiriog pan welais yr enw Disneyland ac ysgrifennais ati a gofyn a oedd dawnsio hefo'r Seven Dwarfs a rhoi sws i Snow White yn fwy deniadol a phwysig iddi nag aros gartref hefo'i gŵr a bod yn fam i Meg ac yn nain i Bethan a Mair ac yn ferch i mi.

'Ddaeth yna'r un gair i 'nghyfeiriad o dros Fôr Iwerydd wedyn. Ond cyn y 'Dolig daeth llythyr a cherdyn o Lundain. Dim sôn am Grant, ond llawer o sôn am waith a oedd ganddi mewn ysbyty yn Kensington, a'i bod yn gobeithio dod i'm gweld tua'r Pasg. Ond er i mi ateb ei llythyr ar frys nid wyf wedi clywed dim wedyn.

Ac, o, fel yr wyf wedi hiraethu amdani. A phob tro mae'r

nyrsys ar streic — ac mae yna nifer go-lew o streiciau yn Llundain — mae fy llygaid yn rhythu tuag at y teledu wrth geisio cael cip bach arni. Ond fel y dywedodd Meg, 'does dim peryg iddi hi ymuno â streic gan ei bod yn aelod o'r Royal College. (Teimlais yn chwerw wrth glywed Meg yn dweud hynny: 'oes ganddi fwy o ffyddlondeb tuag at yr R.C.N. nag a oedd ganddi tuag at ei gŵr?)

Mae wedi cymryd dau ddiwrnod llawn i ysgrifennu'r llythyr yma atat a gobeithio dy fod yn deall mwy am y sefyllfa rŵan. Eto i gyd prin yw fy ngwybodaeth . . . ynteu ai meddwl am ddealltwriaeth yr ydw i? Tybed a wnes i gam â Pam, am na wyddwn yn well? Beth wyt ti'n ei feddwl? A ddylwn i deimlo mor euog â hyn?

Gobeithio dy fod ti a Henry a'r teulu'n iawn.

Cariad a chofion,
dy chwaer,
Jane

6-2-88   Bangor

Annwyl Anti Mary,

Maddeuwch i mi am beidio ag ateb eich holl ymholiadau am Nain. Daeth eich llythyr cyntaf i law fis yn ôl, a'r llall ddoe, ond rhwng popeth, fel y sylweddolwch, mae f'amser wedi bod yn brinnach nag arfer.

Ond erbyn heddiw mae'n rhaid i mi wneud amser . . .

Galwyd fi ddoe i'r Cartref lle mae Nain yn aros yn Llandecaf. A dyna fraw a gefais, a gwn yn iawn y bydd fy newyddion yn creu anesmwythyd a phrudd-der ynoch chwithau hefyd. Mae'r staff yn dweud bod cyflwr meddwl Nain wedi gwaethygu'n hollol annisgwyl ers dydd Llun diwethaf. A gallaf goelio hynny achos fe gipiais drosodd i'w gweld bnawn dydd Sul ac 'roedd hi o gwmpas ei phethau am yr awr a hanner y bûm i yno, hynny yw yn ddigon tebyg i fel y mae hi wedi bod am tua hanner blwyddyn. Celwydd fyddai dweud ei bod hi wedi bod yn iawn o'r munud y dywedodd Mam wrthi am yr ysgariad, a phoen arall i Nain oedd i Dad werthu'r tŷ a mynd i Fôn i fyw. Ac yn anffodus fe gefais innau helyntion, yn ymwneud â Beth, tua'r un pryd. Bu'n rhaid i mi esgeuluso Nain am rai wythnosau yn yr hydref. Doedd gen i ddim dewis mewn gwirionedd. A phan eis i i'w gweld ddechrau mis Hydref 'roedd hi wedi mynd yn ffwndrus iawn, yn wir yn rhy ffwndrus i ofalu amdani ei hunan. Ar y ffordd adref gelwais yn nhŷ Dr Williams ac fe ddywedodd ei wraig bod ambell gymydog wedi dweud nad oedd Nain yn ddigon cryf i ofalu amdani ei hunan ac nad oedd hi'n ddigon cyfrifol i fyw ar ei phen ei hun yn y bwthyn. A dyna oedd y rheswm dros drefnu iddi fynd i'r Cartref. Wedi hynny bu cyflwr ei meddwl yn well am dipyn. Ond cododd y 'Dolig gyffro annifyr ynddi. Hwyrach mai hiraeth ydoedd, nid hiraeth dwys, ond hiraeth gwyllt — os oes yna'r fath hiraeth. A gellid credu mai cael gwybod bod Mam yn Llundain a barodd hyn oll.

'Wn i ddim sawl gwaith yr ymdrechais i gael sgwrs hefo Mam ond mae hi'n aros mewn fflat hefo ffrind sy'n *ex directory* a methais gael rhif y ffôn. Fe ysgrifennais ati (ond 'chafodd hi mo'r llythyr tan ar ôl y 'Dolig) yn gofyn iddi ddod i weld Nain, gan geisio egluro'r sefyllfa orau y medrwn. Ffoniodd Mam ar y dydd cyntaf o Ionawr a dweud ei bod yn bwriadu dod i weld Nain tua'r Pasg ond bod ganddi ormod o gywilydd i feddwl am wynebu Nain cyn hynny. Ac, a dweud y gwir eto, mae agweddau Mam hefyd yn peri poen meddwl a mwy na rhithyn o ddirgelwch i mi, pan fo'r amser gennyf i feddwl.

Mae Mam yn gwrthod dod yma hefyd. Eto mae'n gwybod yn dda y gallai ddod yma heb gywilydd o gwbl ac mae'r genethod, yn enwedig Bethan, wedi hiraethu llawer amdani. Ac, a dweud mwy o wir wrthych, 'doeddwn i ddim yn gweld cymaint o fai â hynny ar Mam am adael Dad. Bydd yn anodd i chi ddeall hynny . . . Ond 'rwyf innau hefyd wedi byw hefo dyn diog er dydd fy mhriodas — pan oeddwn yn ddwy ar bymtheg oed. Ac os bydd yna fwy o helynt ynglŷn â diogi Aled, a mwy o boen ynglŷn â Beth, 'rwy'n rhag-weld fy mhriodas innau (fel ag y mae) yn mynd yn deilchion.

Yn fuan wedi i Mam fynd i'r Unol Daleithiau dechreuodd Beth chwarae triwant. Wrth edrych yn ôl dyna oedd y rhan fwyaf esmwyth (i mi) o'r holl bethau y mae hi wedi eu gwneud wedyn. Mae'r athrawon wedi bod yn garedig ac yn amyneddgar hefo hi ond mae hi wedi peri gofid i sawl un ac wedi aflonyddu ar sawl dosbarth, ac wedi troi yn erbyn ambell blentyn a'i fygwth ac yn y blaen.

Mae hi'n cael triniaeth gan Seicolegydd Addysg rŵan, a diolch i Dduw, mae hi'n ymateb yn dda ac wedi mynd yn ôl i'r ysgol. 'Wiw i mi ddweud wrthi bod Mam yn Llundain rhag ofn iddi drio mynd i'w gweld. Mae genod deuddeg oed heddiw yn hynod o fentrus — hen oes ofnadwy ydy hon. Ond wedi i mi ddweud hynny 'roedd yna berthynas gariadus rhwng Mam a Beth erioed — am 'mod i'n wirion ac ifanc pan gafodd Beth ei geni, efallai. Gan na chefais funud o drwbwl hefo hi cyn i Mam fynd i ffwrdd mae'n amlwg mai'r boen o golli ei pherthynas â Mam sy' wedi effeithio arni, a dyna farn y meddygon hefyd.

'Rwy'n siŵr y byddwch yn deall bod y naw mis diwethaf

wedi bod yn rhai anodd — a dweud y lleiaf. Ac wrth gwrs 'wiw i mi fynd â Beth na Mair i weld Nain chwaith rhag ofn iddi hi grybwyll fod Mam yn Llundain yn eu clyw. (Mae plant yn deall gormod y dyddiau hyn.)

I fynd yn ôl i'r Cartref am funud. Dywedodd Chwaer llawn amser sydd yno fod cyflwr meddwl Nain wedi gwaethygu ar ôl iddi fod yn sgwennu llythyr yn frysiog am tua dau ddiwrnod. Ac mae un o'r nyrsys yn dweud ei bod hi wedi postio llythyr dros Nain ac mai cyfeiriad yn Darwin oedd ar yr amlen. Felly mae'n debyg y byddwch wedi derbyn llythyr oddi wrth Nain cyn i hwn gyrraedd. Sgwrs ryfedd iawn a gefais hefo hi ddoe. Wel, nid sgwrs yn gymaint â chymysgedd o eiriau a brawddegau. Gellid meddwl ei bod hi'n bell iawn o Gymru yn ei meddwl — un munud yn Disneyland yn yfed te gyda Mickey Mouse a'r eiliad nesaf yn bwydo crocodîl yn y Sŵ yn Darwin. Anodd, er bod popeth yn drist, oedd peidio â gwenu droeon.

Gresyn i Mam hawlio ysgariad, gan nad ydy hi'n bwriadu priodi'r dyn 'na. Os mai ychydig o ryddid oedd y cyfan 'roedd ei angen, gallai fod wedi dweud wrth Nain ei bod yn mynd ar wyliau hefo'i ffrind, Jess (yr un â'r fflat yn Llundain). Prin y buasai Dad wedi sylwi nad oedd hi gartref. Mae o'n reit hapus yn gorweddian o gwmpas, a'i getyn yn ei geg, neu'n cerdded milltiroedd mewn llefydd anghysbell. Mae Dad wrth ei fodd rŵan — mae ymddeol yn ei siwtio i'r dim. Ond mae'n siŵr ei fod o'n dechrau drysu neu yn hollol wirion. O bopeth y gallai ei wneud yr adeg yma o'r flwyddyn mae wedi mynd i Devon ac mae o'n cerdded milltiroedd yno bob dydd. Ffoniodd ddoe a dweud nad oedd hi'n oer o gwbl. A dynion y tywydd yn dweud bod cenllysg yn disgyn dros bob man.

Peidiwch â meddwl nad wy'n poeni am yr hyn sydd wedi

digwydd, ac am bopeth sy'n dal i ddigwydd, ond gan fy mod yn ceisio ymweld â Nain ddwywaith bob wythnos ac wedi cael yr holl broblemau ynglŷn â Beth ac yn trio cadw trefn rhwng Aled a Beth, mae gen i ormod i ofalu amdano a dim digon o amser i boeni. Pe bai'r amser gennyf buaswn innau hefyd yn ddwys.

Ond peidiwch â meddwl na fyddaf yn meddwl amdanoch. Fy holl gariad tuag atoch chi a'r teulu,

Meg

St. Ann's Hospice,
12-2-88   Llundain.

Annwyl Mary,

Dyma fi o'r diwedd yn ateb dy lythyr caredig a dderbyniais cyn y Nadolig. Bydd y cyfeiriad uchod yn gryn ysgytiad i ti ond 'rwyf wedi cynefino ag ef bellach, mewn gobaith, a'r rheswm a'm gorfododd i ddod yma a'r angen i aros yma.

'Rwyf wedi cael digon o amser i bendroni am y ffordd orau i lunio llythyr atat, ac eto mae'n anodd rhoi'r syniadau a gefais ar dudalen o bapur (a hwnnw'n wyn fel y galchen!). Felly'r hyn a wnaf yw dechrau yn y dechrau — nid ym munudau hyderus gwawr dros Ardd Eden ond yn ennyd ddwys y machlud.

'Roedd popeth yn iawn tan ddechrau mis Medi, a minnau wedi mwynhau bron dri mis o'r math o ryddid nad oeddwn erioed wedi breuddwydio am ei debyg yn unlle. Yna cefais dri llythyr yr un diwrnod. Agorais un Huw yn gyntaf — dim ond brawddegau byrion i ddweud bod yr ysgariad drosodd, a'i fod o'n ymddeol ac yn gwerthu'r tŷ ac yn bwriadu mynd i fyw at ei chwaer ym Mhorthaethwy. Chwarae

90

teg iddo, 'ddywedodd o ddim mwy na hynny, ond mor dda y gwyddwn 'mod i wedi ei ddadwreiddio. Nodyn oddi wrth y twrnai oedd yr ail lythyr, ac 'roedd yna dinc terfynol yn hwnnw hefyd, megis y trawiad olaf ar biano neu organ. Fel y digwyddodd, llythyr Mam oedd yr olaf i mi ei ddarllen. Pregeth oedd ganddi hi fel arfer, ond gan fod mantell fy nhad wedi bod drosti mor hir, go brin y gellid disgwyl dim gwell. Mae'r fantell yn cyffwrdd â'i llaw dde pan fo'r awydd i ysgrifennu llythyr yn dod drosti ac yn disgyn dros ei golwg pan yw hi'n gyndyn i weld y byd fel ag y mae, a phobol y byd, hyd yn oed ei hunig ferch, fel ag y maent.

Digwyddodd rhywbeth hynod o ryfedd i mi y diwrnod hwnnw — rhywbeth hollol wahanol i boen ergydiol y tristwch a oedd wedi gafael yn fy meddwl tra darllenwn lythyr Mam. Math o dyndra oedd o. Na, nid rhyw fath o dyndra chwaith. Dychmygais fod rhywbeth trwm yn gorffwys ar fy mrest ac yn gwneud anadlu yn anodd dros ben. 'Chydig o gof sydd gen i ar ôl hynny — darluniau o hwn a'r llall a'r peth a'r peth ond dim cydluniad o gwbl. Rywdro dywedodd Grant, *'You'll have to go to hospital.'* A rhywdro wedyn 'roeddwn i mewn ystafell fechan mewn ysbyty a nyrs yn mesur pwysedd fy ngwaed a minnau'n gofyn : *'Have I had a coronary?'* A hithau'n dweud, *'They don't think so, but we shall know in a little while.'* Buom yno am wythnos a chefais bob math o archwiliadau a gwyddwn nad oedd a wnelo rhai ohonynt ddim â chyflwr fy nghalon. A chan fy mod yn codi ac yn cerdded o gwmpas ac yn mynd allan i'r gerddi, gwyddwn nad fy nghalon oedd yn peri problemau.

'Roeddwn i dan ofal ffisigwr a oedd yn un o ben ffrindiau Grant, a daeth hwnnw efo Grant un bore a dweud wrthyf fod yna dyfiant yn f'ysgyfaint. Gofynnais yn syth, *'Is it serious?'*, ac atebodd Mark ei fod o'n ofni ei fod ac y cawn driniaeth pe mynnwn ond nad oedd y rhagolygon yn dda. Deuthum i ddeall y gallwn fyw am tua blwyddyn pe dymunwn gael triniaeth a rhyw hanner blwyddyn neu naw mis os oedd cael triniaeth yn groes i'm hewyllys. (Mae agwedd y doctoriaid yn hollol wahanol yn U.D.A. Maen nhw'n dweud y gwir ar ei ben.)

Y noson honno dywedais wrth Grant fy mod am ddychwelyd i Lundain i gael barn Jess. A dyna a fu. 'Doedd hi ddim yn anodd ffarwelio â Grant, achos 'roedd llythyr Mam wedi creu diflastod ynof ynglŷn â'r hyn yr oeddwn wedi ei wneud ac wedi llwyddo i sarhau ein misoedd o gariad.

Erbyn hyn mae Jess yn swyddog uchel a chanddi ddylanwad yn y llefydd pwysig. I dorri stori hir yn stori fer, dywedaf yn blaen mai canlyniad tri ymchwiliad arall oedd rhagor o ragolygon gwael. Ac erbyn hynny 'roeddwn i wedi arafu llawer ac yn teimlo'n wanllyd fel pe bai fy nghorff yn dylanwadu ar fy enaid — os mai meddwl dyn yw ei enaid wedi i'r corff ddiflannu tuag at arafwch tragwyddoldeb.

Deuthum yma ddeuddydd cyn y Nadolig. Ysgrifennais at Huw gan ddweud tipyn o'r hanes wrtho ac fel y gwyddwn fe ddaeth Huw yma'n syth ar ôl derbyn fy llythyr. Mae o wedi treulio llawer o amser hefo mi (a'r teulu yn meddwl ei fod o'n crwydro ar hyd a lled Lloegr). 'Doedd arna' i ddim eisiau i neb arall wybod am hyn ar y pryd. Tosturi oedd y peth olaf yr oeddwn yn dymuno'i gael gan fy nheulu — am nad oeddwn i fy hunan wedi bod yn dosturiol, efallai. 'Rwy'n deall fod Mam mewn Cartref — o'm hachos i, mwy na thebyg. A gwn fod Beth wedi bod yn dorcalonnus o hiraethus a bod hynny wedi effeithio arni ac wedi creu problemau mawr i Meg. Gwn hefyd fod Meg yn ceisio gwneud popeth i bawb. Ond fe fydd hi'n iawn. Mae dur Mam ynddi hi. Ac mewn amser fe fydd Huw hefyd yn iawn,

wedi i mi fynd, wedi iddo gael gwared â straen cyfrifoldeb
. . . Ac os mai'r hyn a wnes sydd wedi effeithio ar Mam a
Beth, yna anodd fyddai dweud sut y teimlaf rŵan. Os oes
yna uffern 'rwyf i ynddi'n barod, yn y nosweithiau hirion
wedi i gysur cyffur ballu. Ac ym munudau tawel y dydd.

Mae Huw wedi mynd at ei chwaer am ryw ddeuddydd.
Ac mae o'n mynnu gadael i Meg wybod. Mae'n siŵr y daw
hi yma'n fuan ac yr wyf yr un mor siŵr y gall Meg gymryd
hyn. Am Beth yr ydw i'n poeni. Beth, am sawl blwyddyn,
oedd gwrthrych fy nghariad — y plentyn tirion na chefais
i. Gresyn i mi anghofio bod gen i wyres pan ddaeth Grant
i'm bywyd, fel corwynt, a'm cipio i ffwrdd.

Mae'r Hospis yn lle rhyfeddol o dda i fod ynddo mewn
argyfwng fel hwn — (nid achlysur mohono!) ac eto, weithiau,
byddaf yn teimlo nad wyf yma o gwbl ac yn cael y teimlad
sy'n dod wrth i rywun ei wylio'i hun ar fideo. Dylanwad y
cyffuriau . . .

Pobol tua'r un oedran â mi yw'r mwyafrif sydd yma. Tair
sy'n hŷn, a thair sy'n ieuengach. Mae'r staff yn *hand picked*
— mor amlwg yw hynny. A phob dydd mae Caplan yn dod
atom. Cawn ei weld ar fy mhen fy hun pe mynnwn, ond
fel rheol bydd yn siarad â thua hanner dwsin ohonom. Mae
ganddo bob math o bynciau ac eto fe'n sicrha drwy bob
sgwrs (neu ceisia ei orau) ei fod yn cyflwyno i ni y Duw
agos, ac nid y Duw pell a oedd fel bwgan i mi yn fy
mhlentyndod. Efallai 'mod i'n closio'n nes at y Duw newydd,
ond prin fod gen i ddigon o amser i ddod i'w nabod yn dda.
Dywedais hyn wrth y Caplan ddoe, a wyddost ti beth
ddywedodd o? 'Y peth pwysig yw ei fod EF yn eich nabod
chi.'

Gobeithio ei fod, gobeithio ei fod E'n deall popeth am

bwysau f'euogrwydd ac am fesur f'edifeirwch ac am raddau fy nwyster.

Rhoed pedwar mis i mi ddiwedd mis Hydref. 'Does gen i ddim amheuaeth nad oedd y meddygon yn iawn, a 'does gen i'r un gobaith am wyrth chwaith. Mae 'nghyflwr yn mynd o ddrwg i waeth, ond 'rwy'n cael digon o gyffuriau i wneud bywyd yn oddefadwy.

Gan nad wyt ond pum mlynedd yn hŷn na mi 'rwyf wedi dibynnu'n hael erioed ar y berthynas a oedd rhyngom — mae'n unigryw — am ei bod wedi parhau.

'Rwy'n anfon fy nyddiadur am y flwyddyn ddiwethaf i ti. Rho fo i Beth rywdro wedi iddi aeddfedu digon i'w ddeall, a deall y cyfan.

Gofala amdanat dy hun a rho 'nghariad i Henry,

Am byth,

Pam

O.N.

'Rwy'n cofio dweud wrthyt, sawl gwaith, nad oedd Huw a minnau'n hapus yn ein priodas. Wel, y peth rhyfeddaf ydy hyn — 'rwy'n gorfod dibynnu arno rŵan am y tro cyntaf erioed ac ae hynny wedi creu byd o wahaniaeth yn ei agwedd tuag ataf.

Efallai 'mod i'n ei garu rŵan.

Mae'n biti ein bod weithiau (neu gan amlaf) yn dod o hyd i drysor yn rhy hwyr. Wedi iddo fod i ffwrdd am ddeu-ddydd y peth pwysicaf i mi heddiw yw ei weld yn dod i mewn drwy ddrws y ward 'fory.

Erbyn hyn hoffwn feddwl mai y fo fydd y prif alarwr . . .

Ynglŷn â'r cancr, mae llawer o ddoctoriaid yn dweud rŵan mai *stress* sy'n gyfrifol am y modd y mae'n tyfu ac yn bwrw 'mlaen ac weithiau'n rhedeg yn wyllt. Nid wy'n dweud hynny, eto 'rwy'n eithaf sicr mai sylweddoli bod yr ysgariad wedi digwydd oedd yn gyfrifol am y math o *collapse* a ddaeth â'm cyflwr i i'r fei. Tybed nad oeddwn i ddim yn dymuno cael ysgariad, yn y lle cyntaf. A thybed ai undonedd fy mywyd a enynnodd y gwaeledd, yn y lle cyntaf?

'Chaf i byth wybod . . .

Nos dawch,

Pam

O LE I LE

Dyddiadur Mona

Dydd Sul 1-5-88

Myfi Morgan sydd wedi ennill y dydd am y sêt fawr; ac
fel arfer ni fu tegwch a hawdd oedd deall fod y cyfan wedi
cael ei drafod ymlaen llaw ac ymhell o'r capel. Ugain o
aelodau, rhai ohonynt yn anffyddlon, oedd yn Horeb heno
a bu i bawb bleidleisio i Myfi. Tybed a fydd hi'n gymwys
i'r swydd? Fe ddylai blaenoriaid fod yn bobol y gellir
dibynnu arnynt ac ymddiried ynddynt. Treigliad amser fydd
yn dweud yr holl stori a dyna hefyd fydd yn barnu. Ond
pwy fuasai'n dewis bod yn flaenor? Ychydig o barch a gânt
heddiw, eto maent yn meddwl eu bod yn bwysig dros ben.
Efallai nad ydynt wedi sylweddoli mai byd bach yw byd
crefydd rŵan ac mai pobol bach ddiddychymyg heb ddim
arall i'w wneud sy'n parhau i grefydda. 'Wn i ddim beth
ddaeth drosof y llynedd i'm cymell yn ôl i'r capel. Rhyw
fath o wendid, ddyliwn, ond gwyddwn heno na fyddwn yn
dychwelyd a mynychu eto ac 'rwy'n difaru 'mod i wedi rhoi
canpunt i gronfa'r addurno. Gwastraff arian oedd hynny, a
gwastraff amser oedd mynd ar gyfyl y lle.

'Roedd yna gannoedd o geir o gwmpas y dre pnawn 'ma,
a nifer fawr o bobol yn cerdded ar draws ei gilydd rhwng y
farchnad a glan y môr, golwg blêr a digysur ar y mwyafrif

ohonynt. Erbyn hyn y mae pob Gŵyl y Banc yn denu'r
creaduriaid rhyfeddaf allan o'r trefi mawr, ac er eu bod yn
edrych yn ddwl maen nhw'n siŵr o ffeindio'u ffordd yma.
'Wn i ddim pam y mae cymaint yn dod. 'Does yna ddim
gwerth i'w weld yn y dref na'r cyffiniau.

Mae yna lond tŷ o deulu drws nesaf — y ddwy ferch a'u
gwŷr a phump o blant dan ddeuddeg oed, a chi bach du,
un o'r pwdls gwirion 'na sy'n cyfarth ddydd a nos. Mae'r
plant a'r ci wedi bod yn rhedeg yn wyllt am oriau drwy'r
coed dros y lôn ac wedi ymosod ar y brigau. Mae'n amlwg
nad yw'r plant yn cael eu disgyblu. Mae 'na ddwy garafán
yn agos i'r tŷ. 'Rwy'n sicr bod rhai ohonynt yn cysgu yn y
carafanau. Sut fath o wyliau yw rhai felly? Wel, eu bai nhw
yw hynny. Ond efallai mai Nesta Williams ei hun sy'n
gyfrifol am wrthod yr ystafell sbâr yma — ei ffordd hi o'm
rhoi i yn fy lle. 'Rwy'n sicr bod cysgu mewn carafán mewn
ardal fel hon yn groes i'r gyfraith ond 'does dim peryg i neb
ddweud dim gan fod Nesta ar y Cyngor. 'Fedra' i ddim
credu'i bod hi'n ddigon cyfrifol i fod ar y Cyngor ond efallai
nad yw gweddill y criw yn sylweddoli ei bod hi'n od am
eu bod oll yn debyg i'w gilydd.

Mae'r tywydd wedi bod yn oer am wythnos ac mae'r gwynt
main yn dal i ddod o'r gorllewin. Mae'r ardal hon yn cael
gormod o wynt a hynny'n creu anniddigrwydd ynof.

Methu â chael gafael ar Dilys ar y ffôn. Efallai ei bod hi
i ffwrdd.

*   *   *   *

Dydd Sadwrn 7-5-88

'Roeddwn i newydd ddod adref a heb gael paned na dim
pan ffoniodd Mona. Diar annwyl! Mae hi mewn stad
unwaith eto, ac fel arfer mae hi wedi rhoi'r tŷ ar werth ac
yn bygwth dychwelyd yma i fyw ac wedi gofyn imi wneud
ymholiadau ynglŷn â'r tai newydd 'na. Anodd yw gwybod
beth sydd wedi achosi'r cynnwrf y tro hwn, ond 'roedd y
stori'n un debyg i'r un a gefais flwyddyn yn ôl wedi iddi
fethu mynd ar y Cyngor. 'Wn i ddim sawl gwaith y dywedodd
hi heno, drwy'i dagrau, nad oedd hi'n ddim i neb. Hawdd
fyddai i minnau grio hefyd gan fy mod wedi 'nghysuro fy hun
ei bod hi wedi setlo yn o-lew ar ôl iddi ailddechrau'i
diddori'i hun yn y capel. Tybed oes yna rywbeth wedi
digwydd yno? Go brin wir. 'Roeddwn i'n meddwl ei fod
o'n gapel bach hapus pan eis yno hefo hi 'Dolig, ac mi
'roedd y Myfi Morgan honno, a oedd yn byw ac yn bod yn
nhŷ Mona dros y gwyliau, yn garedig wrthi ac yn gefn iddi,
ond 'does fawr o sôn amdani hi rŵan.

O, fel y mae hyn wedi dwyn y sglein allan o'm gwyliau!
Beth ar y ddaear wnes i erioed i haeddu perthynas bell fel
Mona? Eto 'ddyliwn i ddim dweud hynny. 'Roedd hi'n iawn
cyn i Anti Gwen adael yr holl arian 'na iddi. Oedd, mi 'roedd
hi'n iawn tra oedd hi'n dlawd fel y gweddill ohonom ond fe
aeth yr arian i'w phen a pheri iddi ddianc o'r naill le i'r
llall yn hollol ddiamcan, a gwibio trwy fywydau pobol yn lle
aros a llonyddu, a dod i'w nabod.

Ond wir, gobeithio na ddaw hi ddim yn ôl i fyw yma.
Peth gwirion yw dychwelyd i unlle a disgwyl cael hyd i
bopeth yn union fel ag yr oedd. Ond rhyngddo hi a'i phethau
y bydd hynny achos mae gen i ddigon i'w wneud i ofalu
amdanaf fy hun yn fy saithdegau mewn byd brau a chyflym

fel hwn, byd addas i'r sawl sy'n ddeugain oed. Ac mae fy hen ffrindiau i gyd yn yr un sefyllfa a'r peth olaf y byddem yn dymuno amdano fyddai i Mona drefnu'n bywydau, a gwneud traed moch o'r cyfan.

'Rwyf wedi blino gormod heno i feddwl mwy am hyn.

* * * *

Dyddiadur Mona

Dydd Mercher 18-5-88

Ffoniodd Mrs Jones i ddweud bod y Bannisters yn dymuno cymryd meddiant o'r tŷ ganol y mis nesaf. 'Rwyf wrth fy modd a gwn 'mod i wedi bod yn lwcus i gael gwared â'r tŷ mor sydyn. 'Rwy'n mynd i aros hefo Dilys am ychydig o ddyddiau. Bydd rhaid i mi gael hyd i rywle'n fuan rŵan.

* * * *

Dyddiadur Dilys

Dydd Gwener 27-5-88

Heb gael munud i sgwennu gair am wythnos ond 'does dim angen dyddiadur i'm hatgoffa o'r wythnos gofiadwy hon. A Duw a'm gwaredo; buasai wythnos arall hefo Mona yn fuan yn sicr o'm lladd.

Mae Mona wedi mynd heddiw. Mae hi wedi bod fel corwynt o gwmpas y lle. 'Rwyf wedi syrffedu ar fynd o'r naill dŷ i'r llall, ac wedi blino — a mynd yn flin. Mae hi wedi setlo ar brynu un o'r tai ar y stad newydd sydd ar dir y Fron. Ceisiais ei darbwyllo drwy dynnu sylw at y ffaith fod y llecyn yn bell o'r dref, ond 'wnâi hi ddim gwrando. Efallai ei bod hi'n meddwl y bydd hi'n dreifio am byth.

Chwalwyd fy nhrefniadau ar y gwynt yr wythnos yma. Methais fynd i weld Nel yn Llandudno a gohiriais ymweliad George a Jenny tan y mis nesaf. Peth anodd yw ymdaro â Mona heb sôn am ymlacio yn ei chwmni, ac mi 'roedd arna' i ofn iddi hi (a'i syniadau) dramgwyddo a digio'r lleill. Gall fod mor bigog os nad yw pawb a phopeth yn plesio — i'r dim. Rhaid i mi fod yn ofalus iawn pan ddaw hi yma i fyw neu 'chydig iawn o ffrindiau fydd gen i.

*   *   *   *

Dyddiadur Mona

Dydd Sadwrn 28-5-88
Braidd wedi cael fy siomi yn Dilys. Mae hi'n heneiddio gormod ac mae'r hen ddisgleirdeb wedi pylu llawer. Dim rhyfedd nad oes neb o bwys yn galw arni bellach. Efallai y gwna' i dipyn o les iddi.

Mae yna bobol barchus o Fanceinion yn awyddus i brynu tŷ sydd gyferbyn â f'un i. Cyfreithiwr oedd y gŵr; buasent yn gymdogion deniadol. Mae'r dref wedi newid yn ystod y blynyddoedd, ond mae yna ddigon o bethau diddorol yn mynd ymlaen.

'Does 'na'r un rheswm dros i Dilys ollwng ei gafael.

*   *   *   *

Dyddiadur Dilys

Dydd Sadwrn 26-6-88
Mae Mona wedi mynd i gysgu i'w thŷ newydd heno. 'Rwy'n credu'i bod hi'n ddigon cyndyn i fynd ond 'allwn i mo'i swcro hi ymhellach gan na fedrwn ddygymod â'r syniad o

100

fwrw Sul arall yn ei chwmni a gwrando hanes pob rhyfeddod yn ei thŷ newydd. Mae'r tŷ yn ddel ond mae o'n anferth o le i un, ac mae ambell ystafell yn dywyll am fod yna ormod o goed yn agos i'r clawdd terfyn. Gallai'r coed wneud y lle'n unig hefyd, ond mae Mona'n gwirioni ar bob deilen — ar hyn o bryd.

Mae hi wedi prynu bob math o daclau newydd i'w chegin, trugareddau fel *microwave*. Mi fuaswn i'n mwydro'n lân pe byddai raid i mi hwylio bwyd yno.

Mor braf fydd mynd i'r capel 'fory.

* * * *

Dyddiadur Mona

Dydd Mawrth 26-6-88

'Roedd hi'n dawel yn ystod y nos ond 'fedrwn i ddim cysgu. Gobeithio y bydda' i wedi cartrefu mwy yma erbyn heno. Mae'r tŷ'n hardd ac yn fy mhlesio'n fawr, ond bydd raid i mi newid dodrefn y lolfa. Gan fod yma ystafell fwyta ar wahân, mae'r lolfa'n llai ac mae 'nodrefn yn rhy fawr. Ofnais hyn! Biti 'mod i wedi gwrando ar Dilys. 'Does ganddi hi ddim mymryn o synnwyr (heb sôn am syniadau). Af i'r Rhyl yn fuan a chael sbec ar siopau'r dodrefn.

Daeth Mr a Mrs Hobson (John a Maud) yma am goffi'r bore 'ma. Maen nhw wedi prynu'r tŷ gyferbyn ac yn symud i mewn ganol mis Awst. 'Rwy'n edrych ymlaen at hynny.

* * * *

Dyddiadur Dilys

Dydd Llun 4-7-88

Bustachu i fyny'r allt a galw ar Mona. Cael fy nghadw'n bell ganddi; gall fod mor oriog. Mae hi wedi prynu dodrefn newydd i'r lolfa. Rhai pinc . . .

Mynd i noson goffi Merched y Wawr a mwynhau fy hun.

* * * *

Dyddiadur Mona

Dydd Sadwrn 6-8-88

Wel, dyma wythnos ddiflas. Galwais yn annisgwyl ar Dilys
bnawn dydd Mawrth ac mi 'roedd yna hanner dwsin o bobol
yn eistedd o flaen y teledu ac yn dotio ar Seremoni Coroni'r
Bardd, a 'run ohonynt yn dweud gair. Gadewais hwy'n bur
sydyn. Yna'r pnawn wedyn cerddais i'r Fron ac er syndod
i mi dyna ble'r oedd yr un rhai, a Dilys yn dew ac yn
bwysig yn eu plith, o flaen y teledu'n galaru nad oedd neb
wedi ennill y Fedal Ryddiaith. Wir, gellid credu eu bod wedi
cael profedigaeth. 'Fedra' i ddim deall y bobol 'ma. ('All
cnawd a gwead ddim dioddef hyn oll.) Ar y dydd Iau pen-
derfynais fynd i weld Lotie Tŷ Gwyn a dyna lle'r oedd
yr un hen griw o flaen y teledu yn gwrando'n astud ar
feirniadaeth Awdl y Gadair. Gellid meddwl eu bod yn deall
pob gair a ddywedwyd gan y beirniad.

John a Maud Hobson yma i ginio. 'Rwy'n hoffi'r melyn
sydd ar waliau'u cegin yn well na'r melyn sydd ar waliau
'nghegin i. Mae'u melyn nhw'n ysgafnach ac yn adlewyrchu
mwy o oleuni.

* * * *

Dyddiadur Dilys

Dydd Mercher 10-8-88

Wythnos fud. Ond cyfnod fel'na sy'n dilyn dyddiau'r
Eisteddfod Genedlaethol. Heb weld Mona er dydd Iau.

* * * *

102

Dyddiadur Mona

Dydd Gwener 19-8-88

'Rwy'n teimlo'n grêt. Wedi bod allan heno hefo John a Maud a chael hanes difyr eu mordaith o gwmpas Barbados. Hoffwn gael gwyliau felly hefo nhw.

Mae ei chyfnither hi'n dod i aros atynt ganol mis Medi.

* * * *

Dyddiadur Dilys

Dydd Iau 1-9-88

Galw ar Mona yn ystod y bore. 'Roedd hi'n hwylio cinio i'r Hobson's — pob math o fwydydd digri — *starters* a phethau felly.

Mae rhywun wedi ailbeintio'r gegin iddi. Beth nesaf? lliw melyn oedd hi yn y lle cyntaf a lliw melyn ydy hi eto. Wel, melyn ydy melyn a chegin ydy cegin.

* * * *

Dyddiadur Mona

Dydd Sadwrn 24-9-88

Dim llawer o hwyl arna' i ers wythnos a dim awydd sgwennu.

Mae'r dyddiau'n byrhau ac mae'n dywyll tua saith yn y lolfa ac yn y gegin. Hoffwn gael gwared â rhai o'r coed ond mae 'na orchymyn cadwraeth arnynt. Peth gwirion fu cyfraith erioed.

Gwnes ginio i'r Hobson's y diwrnod y cyrhaeddodd ei chyfnither hi, Jane Black, ac o'r eiliad y gwelais hi 'roeddwn i'n siŵr 'mod i wedi'i gweld hi o'r blaen. Ond 'fedrwn i yn fy myw gofio ym mhle. Fodd bynnag, cyn i ni orffen ein

cinio fe wyddwn yn iawn a gofynnais a oedd hi wedi bod yn
y Q.A.'s yn ystod y rhyfel ac ai Jane George oedd ei henw'r
pryd hwnnw. Hawdd oedd gweld ei bod hi wedi cael ysgytiad
ond dywedodd ei bod wedi ymuno ym 1940 a dywedais innau
'mod i wedi ymuno ym 1942, a'i bod hi'n gapten erbyn
hynny. Edrychodd arnaf gan ysgwyd ei phen a dweud nad
oedd ganddi gof o gwbl amdana' i. Cefais fy mrifo'n arw
ganddi a gwrthodais fynd at yr Hobson's am goffi'r diwrnod
wedyn.

Teimlais fel dim pan ddywedodd na allai fy nghofio.

Dyddiadur Dilys

Dydd Sadwrn 1-10-88

Mae Mona mewn stad ofnadwy eto. 'Wn i ddim yn iawn
beth sydd wedi digwydd ond mae hi wedi cweryla â'r
Hobson's 'na; efallai nad ydynt hwythau'n deall chwaith.

Stori ryfedd am ryw Jane a oedd yn aros efo nhw gefais i.
Bu hi yn y Q.A.'s tua'r un amser â Mona. Wel, sut ar y
ddaear y gallai'r ddynes gofio Mona? 'Roedd Mona yn ôl
adref ymhen deufis am fod y rhyfel wedi effeithio ar ei nerfau.

Wel, dyna syndod, a finnau heb feddwl am hynny am
bron hanner can mlynedd. Mae'n amlwg ei bod hi'n byw
ar ei nerfau a dyna'r rheswm pam ei bod yn ceisio denu sylw.
Mae hi'n dal i ddweud mai dim yw hi. Mae'n siŵr fod
teimlo felly'n sobor.

Mi af yno 'fory eto a threfnu iddi weld y doctor fore
Llun.

Y PRINT MÂN

Diwrnod a hunai'n dawel-dywyll o dan gysgodion y cymylau duon oedd y dydd Llun olaf ym mis Tachwedd 1988. Neu efallai mai un cwmwl anferth oedd yn gorweddian yn isel yn yr wybren — cyn ised â nenfwd carchar . . .

Yn sicr, penderfynais (fel petai'r peth yn bwysig) pan oedd y trên yn gwibio drwy Stesion Fflint, diwrnod diorwel yw'r disgrifiad gorau.

Ni welais i erioed mohono ar ddiwrnod ei ben blwydd. Dydd yr oriau hirion oedd hwnnw, pan lechwn dan un o gysgodion pellaf yr haul, a'r noson pan grwydrwn ar ochr dywyll y lloer, am nad oedd a wnelo fi ddim â dydd Charles. Fel nad oedd a wnelo fi ddim â'i Nadolig, ei Flwyddyn Newydd, ei Basg, ei Sulgwyn a'r hen Ŵyl y Banc a ddigwyddai gynt, yn nechrau Awst. A phob pen wythnos . . .

Ond 'wnes i ddim cwyno; gwyddwn o'r dechrau mai eiddo ei wraig oedd y dyddiau pwysig. Wedi'r cyfan 'roedd gan ei wraig hawliau megis eistedd wrth ben y bwrdd yn y wledd, nid hel briwsion oddi ar lawr fel aderyn y to.

Y Pasg a'r Sulgwyn a Gŵyl Awst oedd y gwyliau a fynnai gleisio 'nheimladau, am fod pob Pasg yn braf ac yn gynnes, erstalwm efallai, fel rhagflas o'r haf a oedd i ddilyn, a hwnnw'n cyraedd tua'r un amser â'r Sulgwyn ac yn parhau yn hollol ddi-droi'n-ôl am fisoedd. Ac un o'i uchelbwyntiau yn ddi-feth fyddai gwres tanbaid ddechrau Awst, cyn yr wythnos o leithder a fyddai'n dilyn, a chyn cyfnod y terfysg a fyddai'n dwyn hwnnw i ben. A minnau, yn fy hunan bach, yn terfysgu mwy nag arfer yn y dyddiau hynny am fod Charles a'i wraig ymhell ar y Cyfandir.

Haws oedd dygymod â'r gaeaf, a derbyn blinder yn flwng, a bod yn un â'r elfennau. Do, deuthum i sylweddoli y gallwn oddef y gwyll yn well na disgleirdeb yr haul. 'Roedd hi'n haws codi ac ymsythu ychydig bryd hynny, a cherdded o'r naill fan i'r llall heb i neb sylwi 'mod i'n benisel a bod fy ngherddediad yn reddfol.

Pan arafodd y trên dechreuais wingo a thynnu 'nghôt amdanaf, cau botwm neu ddau a chydio'n dynnach yn fy mag llaw. Ymhen munud byddai'r trên yn cyrraedd Stesion Caer, a byddwn eto'n teimlo grym yr hen gynnwrf yn cerdded drosof — yn fy meddiannu. Byddwn yn barod i neidio o'r cerbyd i'r platfform a dawnsio'n ysgafn (fel anadl yr awel sy'n hudo deiliach Ebrill i dorri gair a sibrwd) i'r fan lle unwaith y disgwyliai Charles amdanaf. Ac yn fy nghlyw byddai nodau'r eos yn gân, ac fel arfer y gân fyddai, *'People will say we're in love'* . . .

Ond camu'n araf deg a wneuthum o'r trên.

Sgleiniai'r stesion yn annaturiol o loyw o dan y goleuadau trydan a meddyliais nad oedd yno gysur na chroeso mwyach. Cerddais rhwng yr hysbysiadau lliwgar a oedd yn fflachio yn yr un modd â'r rhai sydd ar y teledu, ond yn eu canol 'roedd yna golofn dal lwydaidd ac arni'n glir mewn rhifau du 'roedd y dyddiad 28-11-88. Efallai 'mod i wedi disgwyl gweld dyddiad rhwng 1956 a 1966, sef degawd y cysgodion . . .

Euthum at stondin flodau a phrynais ddwsin o rosod cochion, ac wrth eu cario i'r caffeteria sylweddolais mor wahanol yr edrychai blodau hefyd erbyn hyn, fel blodau ffug.

Ychydig o bobol oedd yn y lle te ac eisteddais wrth fwrdd yn y gornel. Dechreuais aildrefnu'r blodau gan blygu'r coesau a gwneud swpyn llai ohonynt. Cedwais ddau rosyn ar wahân a daeth i'm meddwl nad oeddwn yn barod i dalu treth a oedd yn fwy na deg yn y cant am y deng mlynedd a lwyddodd i gythryblu fy holl feddyliau. Pam na allwn fod yn gallach gynt? Pa reswm da oedd yna dros fod yn hanner call hyd heddiw? Yna, o dan ddylanwad yr euogrwydd, nad oedd wedi aeddfedu i radd fy sinigrwydd, rhois y blodau i orffwys yn nirgelwch dyfnder bag plastig; pe digwyddwn gyfarfod â hen ffrind yn annisgwyl yn awr, ni fyddai dim achos dros amau 'mod i'n mynd eto at fedd Charles. Ond gobeithio na fyddwn yn cyfarfod â neb — yn enwedig ag Annie. Ni allai hi, am ein bod wedi bod yn gymaint o ffrindiau erioed, anghofio na maddau dim . . .

'Does yna ddim i ddenu bryd dyn ar y trên un cerbyd. Mae ei gyflymder yn mygu'r gerdd a ddôi, echdoe a ddoe, yn glir o symudiadau yr olwynion, ac mae'r mynych ysgytiadau yn gwarafun y daith freuddwydiol yn ôl i'r dyddiau a fu. Felly'n anfoddog a phrudd cyrhaeddais Stesion Woodside. Cymerais dacsi i'r fynwent a rhyfeddais, fel yr wyf wedi gwneud gydol y deng mlynedd, at y cyfnewidiadau a fu yn y dref a'r cyffiniau. Ym mhle mae'r mannau glas i gyd? Fel mannau glas f'oes innau maent oll wedi diflannu. Daeth sibrwd isel i'm clust : erys atgofion, ac ar wifrennau brau y nerfau sy'n cwmpasu realiti cydnabûm 'mod i'n deall hynny'n dda, ond nad oedd ambell atgof yn parhau i dderbyn teilyngdod am ei fod yn oeri. Buasai'n wahanol pe byddai atgof yn wrthrych tebyg i ddol neu dedi — gellid ei gofleidio neu ei gusanu o dro i dro. 'Roeddwn i wedi bod yn ddigon anturus unwaith i roi'r gorau i'r byd am gyfnod hir, a phan wawriodd y dydd i droi'n ôl a cherdded yr eildro dros y

107

llethrau llithrig, fel aberth ansicr y dychwelais. Teimlwn eto'r hen unigrwydd sy'n dod o wynebu ffeithiau, a derbyn nad yw'r byd yn maddau nac yn estyn croeso'n ôl i'r troseddwr.

'Roedd y giatiau yn union fel ag y cofiwn hwy. (Nid yw'r atalfeydd yn newid dim!) Ychwanegai'r arlliwiau o aur at ddwyster yr holl baent du a orchuddiai weddill yr haearn. Euthum drwy'r giât fechan a oedd yn y canol a throi i'r chwith ac ymlaen heibio i resi ar resi o gofgolofnau a'r llwyni bythwyrdd a dwsinau o fân lwybrau, ac ambell unigolyn yma ac acw gerllaw beddau'r fynwent. Wedyn 'roeddwn yn y cylch lle'r oedd y golofn lwydaidd yn disgleirio uwchben olion Charles, a phrysurais am eiliad cyn i'm camre arafu yr un mor sydyn, fel petai symbyliad cerddediad wedi diflannu gan adael pwysau ym mlwch yr ysgafnder.

'Roedd yna ddwy ddynes yn trefnu blodau ar fedd Charles, a'r ddwy ohonynt yn hŷn o lawer na mi. Ac un ohonynt, y dalaf a'r ddelaf o hyd, oedd Mrs Charles Hunt . . .

'Allwn i ddim symud ymlaen nac yn ôl am rai eiliadau — digon o amser i mi feddwl nad fy nhraed yn unig oedd wedi fferru. Yna, fel petai fy ngolwg yn pallu yn araf, deuthum yn ymwybodol fod y dydd llwydaidd yn tywyllu ac ymhen dim disgynnodd dafnau oeraidd y glaw a rhoed imi'r nerth neu'r momentwm i gymryd cam a throi i un o'r mân lwybrau ar y dde, a phan ddeuthum at goeden weddol dal arhosais yn ei chysgod.

'Roedd y goeden mewn llecyn manteisiol. Rhwng ei brigau hawdd oedd gweld cyn belled â bedd Charles ac ymhen ychydig amser, er bod y gawod drom drosodd, 'roedd yn amlwg bod Mrs Hunt a'r wraig arall yn paratoi i adael ei orffwysfan. Gwyliais y ddwy hen wreigan yn cerdded, braidd yn fethedig, i gyfeiriad y llwybr llydan ar ochr bellaf y fan lle cysgodwn. Ac wedi iddynt fynd cyn belled â'r tro a arweiniai i'r fynedfa trodd Mrs Hunt a chodi ei llaw, ac yr oedd yna rywbeth terfynol a phathetig yn y mosiwn.

A meddyliais ei bod hi wedi heneiddio llawer.

Syndod mawr wedyn oedd canfod cymaint o flodau ar ei fedd. 'Doeddwn i erioed wedi gweld blodyn arno o'r blaen, ond hawdd fyddai i ddieithryn fod wedi dychmygu mai'r diwrnod hwnnw y digwyddasai'r angladd. Penliniais i edrych ar un o'r cardiau ac mewn ysgrifen grynedig 'roedd Mrs Hunt wedi ysgrifennu : *Remembering you on this day — your eightieth birthday* . . .

'Doeddwn i ddim yn gwybod hynny. 'Roeddwn i'n meddwl mai deng mlynedd prin iawn oedd fy ngwybodaeth am Charles. Codais oddi ar fy ngliniau ac edrych ar yr holl flodau am yr eildro, a sylweddolais mai ei deulu oedd wedi gofalu am eu hanfon, a gwyddwn nad oedd yna le ar ei fedd y diwrnod hwnnw i'm tusw o rosod cochion, fel na bu lle i mi erioed yn ei fywyd.

'Roeddwn i wedi sylwi ar fedd geneth fach dair oed yn agos i'r goeden a dychwelais a rhoi'r blodau arno, ynghyd â'r ddau a oedd ar wahân. Yna ymlwybrais yn ôl at golofn Charles ac edrychais yn hir ar ei oedran. Celwydd diniwed, efallai, ac eto'n gelwydd fel y rhan helaethaf o'i ymadroddion. Pam nad oeddwn wedi sylwi — pam nad oeddwn wedi wynebu'r ffaith mai person celwyddog a rhagrithiol oedd Charles, a hynny o'r dechrau? Am fod ei ddisgleirdeb wedi fy nallu . . . Pam nad oeddwn i wedi sylwi ar ei oedran ar y garreg fedd, hithau erbyn hyn yn ddeng mlwydd oed? Am nad oeddwn wedi edrych ar ddim ond ei enw. Ac am fy mod bob amser yn rhy ddiofal i ddarllen y print mân . . .

Cymharol hawdd oedd troi a cherdded yn gyflym tuag at

y giât fawr, ac er na chodais fy llaw, fel arwydd o'r ffarwel olaf, gwyddwn na fyddwn yn dychwelyd . . .

Disgleiriai llygedyn o heulwen ar y tacsi, fel petai'n dod o ryw dwnnel cul yn syth o haul gwannaidd y prynhawn, ond yn ddigon cryf i'm tynnu fel magned tuag at y tacsi, ac er mawr syndod i mi clywais fy llais yn dweud, '18, Bank's Road.'

Ar y ffordd meddyliais : ffolineb yw hyn ond os daw ofn drosof gallaf newid fy meddwl a dweud wrth y gyrrwr am fynd yn syth i Woodside. Yna sylweddolais ein bod yn trafeilio ar un o'r ffyrdd newydd a daeth math o ffwndwr i'r fan gudd lle disgwyliwn y byddai f'ofn yn llechu.

'*Here you are. Number 18,*' meddai'r dyn.

'Roedd hi'n rhy hwyr i wneud dim ond dod allan o'r cerbyd a thalu'r dyn. Ac wedi iddo fynd euthum i fyny'r llwybr i gyfeiriad drws y ffrynt a chanu'r gloch.

Ac ymhen dim 'roedd Annie yn agor y drws, ac yn syllu, ac yn synnu, ac o'r diwedd yn gwenu arnaf ac yn dweud : 'Wel, dyma syrpreis gwerth ei gael, wedi'r holl amser.'

Wedyn a ninnau'n cael paned, dywedodd : 'Mae golwg luddedig dros ben arnat ti, Nan. Gallet fod wedi bod ar *night duty* am fis cyfan a heb gwsg o gwbwl bron, fel yr oedd hi weithiau amser y rhyfel. 'Wyt ti'n flinedig?'

'Na,' meddwn, 'newydd ddeffro yr ydw i.'

ERSTALWM

Ychydig o sylw yr ydw i wedi ei roi i neb na dim eleni o'r
diwrnod y cipiwyd Wilias i ffwrdd. Digwyddodd y cyfan
mor sydyn. Un eiliad 'roedd o'n llamu, fodfeddi o'm blaen,
i gyfeiriad y car a'r eiliad nesaf 'roedd o'n cwympo'n araf,
gan geisio troi rhyw hanner cam yn ôl neu i'r dde . . .
Rhaid i mi gyfaddef imi gael gormod o ysgytiad i allu derbyn
am oriau mai ei hanner cam olaf ar fuarth y Nant oedd ei
hanner cam cyntaf tuag at dragwyddoldeb.

Diwrnod troi'r cloc yn y gwanwyn oedd hwnnw. Wedyn,
heb eithriad, dywedai pawb fod hynny'n dda, yn wyrthiol,
yn fendithiol, ac y byddai'n haws i mi ddygymod ag unig-
rwydd galar yn ystod misoedd y goleuni hirlon.

Wrth gwrs, gwn erbyn hyn fod pobol yn dweud y pethau
rhyfeddaf wrth alw i gydymdeimlo â'r sawl sydd mewn
profedigaeth. A sylwais hefyd nad oedd goleuni mwyn y
gwanwyn a gawsom eleni yn dangos dim ond maint yr
afagddu sy'n cartrefu ar aelwyd. Ac roedd mor amlwg, fel
yr âi'r haf yn fwy tanbaid, nad oedd gwres yr haul yn
pelydru'n ddigon pell nac yn treiddio'n ddigon dwfn i doddi
na gwasgaru fy hiraeth.

Bedwar mis ar ôl i Wilias fynd fe werthais i'r fferm a
dŵad i fyw yn agos i'r dre. Meddyliai'r mwyafrif 'mod i'n
fyrbwyll a chredai eraill nad oeddwn wedi cael digon o
bris. Ond 'roeddwn i wedi dweud wrth Jones y twrnai am

111

gymryd y cynnig cyntaf. Pobol o Swydd Gaer fu'n lwcus —
gŵr a gwraig a mab. Hill yw eu henwau, a 'welais i mohonyn
nhw o gwbl.

Ymhen dim 'roedden nhw wedi gwerthu'r tir ac ofnai
llawer o'r ardalwyr wedyn mai bod yn dŷ haf, fel sawl
fferm arall, fyddai tynged y Nant. Bu meddwl am y posibil-
rwydd hwnnw fel pigyn ysbeidiol yn f'ochr. Ond 'wnes i
ddim pendroni'n ddwys am hir amser ynglŷn â'r peth. Sut
y medrwn i, a minnau'n brwydro'n erbyn y felan, bryderu
ynglŷn â phethau felly?

A dyma ni rŵan wedi cael deufis o hydref ac unwaith eto
wedi cyrraedd y dydd Sul sy'n dilyn troi'r cloc, a hynny,
er ein bod wedi ennill awr, yn hen ddigon i'm mwydro i'n
lân.

Dyna sut fy mod bum munud yn hwyrach nag arfer yn
cyrraedd y capel. Pan euthum i mewn 'roedden nhw'n canu'r
emyn cyntaf. Fel arfer, rhyw ddwsin fyddai yno ond heddiw
yn eu plith 'roedd yna dri o rai newydd ac fe eisteddent yn
yr hen sêt y byddai teulu Tyddyn Hir yn arfer eistedd ynddi
erstalwm. Gŵr a gwraig a bachgen tuag ugain oed : y
bachgen yn gwisgo siwt lwyd ddel a thei glas, ac nid yr hen
bethau blêr sy'n pasio yn lle dillad y dyddiau yma. 'Roedd
ei bryd yn olau, fel aur, a'i wallt modrwyog yn daclus.
Bûm yn edrych ar ei wegil gydol yr amser y bu'r gweinidog
yn darllen pennod o Lyfr Job ac yn ceisio meddwl o bwy yr
oedd y bachgen yn f'atgoffa.

Yna, a ninnau'n sefyll i ganu'r ail emyn, fe drodd y
bachgen ei wyneb tuag ataf ac o fewn hanner munud
'roeddwn innau'n troi llygad fy meddwl yn ôl dros hanner
canrif ac yn syllu ar wyneb Dai ac yn gwrando eto, drwy ias
o anghrediniaeth, ar yr hyn a ddywedai . . .

'Rois i mo 'mhen i lawr o gwbl tra oedd Mr James yn

gweddïo. Erbyn hynny 'roedd fy meddwl yn chwildroi, gyda chyflymder hen gorddwr, wrth ail-weu'r hen stori honno a'i gwnïo hi wrth ei gilydd . . .

Cododd Evan Lloyd ar ei draed a chyn iddo roi'r cyhoeddiadau estynnodd groeso i deulu newydd y Fron gan obeithio y byddent yn hapus yn ein mysg; ac mor ddiddorol oedd deall meddai, bod Mrs Hill wedi hiraethu erioed am ddychwelyd i'r mannau lle'r oedd ei gwreiddiau.

Meddyliais : ŵyr Dai ydy'r bachgen 'na ac y mae o'r un ffunud â fo. Ond wir, un ai mae agweddau'r oes wedi newid llawer neu mae plwc Mrs Hill yn un cryf iawn.

Wedi i Mr James ddechrau pregethu euthum yn ôl i'r dechrau — yr holl ffordd i'r tridegau cynnar ac i fyny'r allt i hen ddyddiau'r County . . .

'Roedd fy ffrindiau oll yn eu tro — ac yn un cytgan droeon — wedi pwffian chwerthin am y ffordd y byddai Dai yn fy nilyn o gwmpas. Yn y dyddiau diniwed hynny gallai pwffian chwerthin hanner dwsin o enethod gyrraedd pwynt *crescendo* yn y clyw a throi'n syrffed yn fuan. Felly un diwrnod, pan oedd f'amynedd yn dirwyn i ben a Dai yn dal i ddilyn fel cysgod di-droi'n ôl, penderfynais droi a'i wynebu a dweud rhywbeth clyfar a sarrug (a oedd eisoes wedi ei baratoi yn ystod awr Maths) ac a ysai am ddihangfa oddi ar flaen fy nhafod — geiriau a fyddai'n siŵr o'i osod yn rhywle'n is na dyfnderoedd y ddaear, a hynny am byth. Stopiais yn stond a baglodd Dai dros fy nhraed gan beri i mi ollwng fy llyfrau. Ond mewn chwinciad 'roedd o wedi sythu ac adennill ei hunanfeddiant ac 'roedd yn plygu'r eildro i hel fy llyfrau at ei gilydd, ac yna'n moesymgrymu, yn null Walter Raleigh, gan roi'r llyfrau'n dirion yn fy nwylo.

Daeth y teimlad rhyfeddaf drosof fel petai 'nghalon yn mynd ar ras hynod o beryglus mewn cylch cyfyng. Gwenais

113

arno ac yna cerddais gydag o yn ysgafn droed ar hyd y coridor. Ac mor dda yr ydw i'n cofio byth am y modd y tywynnai'r haul, fel pelen fawr o felyn aur, y bore hwnnw. Anfynych y byddai Dai a minnau ar wahân yn ystod y pum mlynedd dilynol.

Drwy'r amser hwnnw 'roedd ei frawd hynaf, Wilias (Edwin oedd ei enw cyntaf) a Lisie Tyddyn Hir yn canlyn ei gilydd yn selog, ac am rai misoedd bu'r ddau yn byddaru Dai a minnau drwy wneud dim ond sôn am briodi, gan ein trin ni gydol yr amser fel pe baem yn blant ysgol.

Ar gyrraedd deunaw oed fe aeth Dai i'r môr ond, gan mai o Lerpwl i Iwerddon yr oedd o'n hwylio, byddai'n dod adre bob wythnos. Tua'r un amser fe gafodd fy nhad strôc a daeth Wilias i weithio i'r Nant. Ac yn fuan ar ôl hynny fe ddechreuodd y rhyfel ac ymunodd Dai â'r Llynges.

A 'fu dim llawer o drefn ar ddim am hydoedd wedyn.

Yn raddol, drwy wrando ar sibrydion gair neu ddau gan hwn a hon, deuthum yn ymwybodol o'r ffaith fod Lisie'n feichiog, a thua'r un pryd sylweddolais nad oedd Wilias yn ei chanlyn mwyach.

Fe glywodd Mam y stori tua'r un amser. A'r noson honno, a ninnau newydd orffen ein swper, edrychodd Mam yn syth at Wilias a gofyn : 'Beth am Lisie, Wilias?'

'Ewch i ofyn i Mam, Mrs Jones,' atebodd yntau'n swta.

'Reit,' meddai Mam. Ac i ffwrdd â hi drwy'r cae mawr i'r Berth.

'Beth wnei di, Wilias?' gofynnais innau.

'Dim byd.'

'Ond 'dydy hynny ddim yn deg.'

'Meindia di dy fusnes dy hun, Madge. Fe fydd gen ti ddigon toc.'

Aeth Wilias allan i'r buarth a dechrau hollti rhyw hen

goed. 'Roedd ei wylltineb yn amlwg a daliai i hollti'r coed fel pe na bai yna'r un yfory. Euthum innau i stafell fy nhad a darllen iddo.

Dychwelodd Mam tua naw o'r gloch ac mi 'roedd hithau hefyd bron yn gynddeiriog. Heb oedi o gwbl trodd ataf a dweud : 'Dai ydy tad y babi 'ma.'

Wedyn, a'i thymestl drosodd, bu'n ceisio f'argyhoeddi am tuag awr ond gwrthod ei choelio a wnes. Y bore wedyn methais gael gair allan o Wilias, ond amser cinio a'i lais yn flin dywedodd : 'Cei ofyn i Dai ymhen yr wythnos. Mae Mam wedi cael teligram i ddeud y bydd o yma am ddeuddydd.'

Gydol yr wythnos ddilynol daliwn i feddwl mai rhywbeth a oedd yn hollol ar wahân i mi oedd yn digwydd ac y byddai popeth yn iawn wedi i Dai ddod ac egluro. Gwrthodais drafod y mater ymhellach hefo Mam ac anwybyddais Wilias. Rhoes hynny ryw fath o bleser . . .

Cyrhaeddodd Dai tuag wyth ar y nos Wener, funudau ar ôl i Mam fynd i ddarllen i 'Nhad.

Safodd, fel delw, wrth ddrws y gegin fawr a dweud : 'Ydy, mae o'n wir.'

'Ond, Dai . . .'

'Na, paid â deud mwy rŵan, Madge. Bydd yn haws ymhellach ymlaen wedi i bawb gael amser i feddwl.'

'Ond, Dai . . .'

Trodd yn sydyn ac agor y drws a mynd.

Ffrydiodd yr haul, cyn awr ei fachlud, ddilyw o oleuni llachar dros yr ystafell a pheri i mi weld popeth yn glir am y tro cyntaf. Daeth rhyw ias oeraidd drosof ac euthum i eistedd wrth y tân, er mai Mehefin ydoedd.

Rywdro daeth Mot, yr hen gi defaid, a rhoi ei bawennau

ar f'ysgwyddau cyn mynd ati i lyfu fy nagrau. Wedyn daeth Mam a rhoi paned i mi ac yn olaf daeth Wilias a dweud :

' 'Rwy wedi cael ffrae hefo Mam. Mae hi a theulu Lisie yn dal i ddeud y dylwn i briodi Lisie.'

'A . . .'

'Na, 'wna' i wir. 'Wna' i mo hynny byth rŵan. Byth. Er bod Mam wedi pacio 'nillad a 'nhroi i allan.'

'Wedi dy droi di allan . . .'

'Ie. Gofyn i dy fam adael i mi gysgu 'ma heno, a 'fory mi chwilia' i am lodjin . . .'

'Mi fydd Mam wedi mynd i'w gwely, Wilias, ond cei gysgu yn stafell y pregethwr am heno.'

' 'Wyt ti'n siŵr y bydd hynny'n iawn, Madge?'

'Pa ots? 'Wn i ddim be sy'n iawn bellach.'

'Na finnau chwaith.'

'Paid ti â mynd i unlle, Wilias,' meddai Mam fore trannoeth, 'nes bydd yr holl helyntion drosodd.'

' 'Ydach chi'n siŵr, Mrs Jones?'

'Ydw, Tad. A bydd Llyfr Dogn arall yn werth y byd i mi.'

Y mis Awst hwnnw gadawodd Lisie a'i mam Ddyddyn Hir a mynd i fyw at chwaer Mrs Huws yng nghyffiniau Caer, a phrin fu'r newyddion amdanynt ar ôl hynny.

Er mawr syndod i bawb fe ailbriododd Mrs Williams y Berth ag un o'r enw Tom Morgan a oedd ugain mlynedd yn hŷn na hi. Ar ôl hynny dechreuodd Wilias alw i weld ei fam o dro i dro ac fe ddôi Mrs Williams draw yn fynych am sgwrs hefo Mam.

Drwy ymdrechion Wilias, o fore tan nos, daeth mwy o lewyrch dros y fferm a hawdd oedd dirnad bod Mam yn dibynnu'n hollol ar Wilias ac ar ei gynghorion.

Ychydig fyddai gen i i'w ddweud wrtho. Efallai 'mod i'n genfigenllyd am fod Mam yn rhoi gormod o sylw iddo.

116

Hwyrach hefyd 'mod i'n dal i ddisgwyl llythyr oddi wrth Dai neu'n dal i obeithio y dôi o'n ôl o'r môr a dweud bod yr argyfwng drosodd, neu nad oedd dim wedi digwydd ac mai hunllef oedd y cyfan. Yna, yr wythnos cyn y 'Dolig, cafodd Mrs Williams lythyr i ddweud bod Lisie wedi cael babi ac mai geneth ydoedd. Ac ar y diwrnod wedyn cafodd deligram i ddweud bod Dai wedi mynd i lawr efo'i long yng ngorllewin yr Iwerydd.

Nadolig trist iawn oedd hwnnw ac ni wnaeth Mam, na Wilias, na minnau symud cam o'r Nant tan ar ôl y Flwyddyn Newydd. Eto tristwch gwahanol oedd hwnnw i'r un yr oeddwn wedi ei brofi pan siomwyd fi gan Dai; hwyrach bod hiraeth yn fwy derbyniol, yr adeg honno, i'm balchder ac i'm hoedran.

Ar y ffordd allan o'r capel gofynnodd Nanw Davies Busnas Pawb, "Ydach chi wedi cyfarfod y bobol 'na Madge?'

'Nac'dw, Nanw.'

'Felly, 'wyddech chi ddim pwy oedd Mrs Hill?' A'i llais yn gynnwrf o sibrwd ychwanegodd, 'Y plentyn gafodd Lisie Tyddyn Hir tuag amser y rhyfel.'

'Roedd yn rhaid i mi ateb yn bendant er mwyn cau ceg yr hen gnawes.

'Plentyn Dai,' meddwn.

Nodiodd Nanw'n siomedig.

Rhoes ei siom ennyd o hyder imi a dywedais : 'Hoffwn fod wedi cael cyfle i siarad hefo hi. Ond maen nhw wedi mynd.'

Wedi i mi gael cinio euthum ati'r eildro i hel hen feddyliau.

Cawsom wanwyn hyfryd ym 1941 ac o'i hyfrydwch ganed yr haf yn fuan. Ymunodd Bob y gwas bach â'r Fyddin, a bu'n rhaid i mi fynd o gwmpas y ffarm a helpu Wilias, ac yn raddol daeth gwell dealltwriaeth rhyngom. Yn ystod yr haf bu farw un o ffermwyr cefnog y fro a dywedodd Mam wrth Wilias y byddai'n rhaid iddo fynd i'r cynhebrwng. Ac yn syth bin atebodd yntau nad oedd ganddo ddillad digon da i fynd i achlysur o'r fath.

'Gallet fynd yn siwt ddu Richard,' meddai Mam. 'Go brin y bydd o byth eto'n gwisgo siwt.'

Daeth darlun o Wilias yn un o siwtiau 'Nhad i ddawnsio o flaen fy llygaid a dechreuais chwerthin.

'Be sy' mor ddigri yn hynny?' gofynnodd Mam.

'Bydd y siwt yn rhy fawr i Wilias, Mam.'

'Cawn weld.' Trodd ato, 'Ty'd hefo mi.'

Ymhen rhyw ddeng munud dychwelodd y ddau, a phan edrychais ar Wilias dechreuais chwerthin o ddifri. Ac wedi i mi gael dros y pwl dywedais, ' 'Rwyt ti'n debyg i Charlie Chaplin yn y siwt 'na.'

'Doedd pyliau fy chwerthin i'n ddim o'u cymharu â'r sterics a aeth yn drech na Wilias.

Un gyndyn fu Mam erioed i wenu ond gallwn weld yr arwyddion crynedig yn hofran o gwmpas ei gwefusau.

Mentrais wthio'r gwch i'r dŵr. 'Mi fyddai'n well pe baech yn rhoi cwpons 'Nhad i Wilias, Mam. 'Fedrwch chi ddim disgwyl iddo fo fynd i unlle . . .'

'O'r gore,' meddai, 'ac mi dala' i hefyd. Dos pnawn 'ma, Wilias.'

Brysiodd yntau i ddweud, 'Ond 'dydw i erioed wedi prynu dillad ar fy mhen fy hun.'

'Mi ddo' i . . .' meddwn.

' 'Fydd hynny'n iawn, Mrs Jones?' gofynnodd Wilias.

'Bydd,' meddai Mam a mynd i'r cwpwrdd lle'r oedd y bocs du a thynnu pumpunt allan a'i roi i Wilias.

Yn fuan 'roeddem ar y ffordd fawr ac yn troi ein beiciau i gyfeiriad y dre.

Dim ond pedair siwt, i ffitio Wilias, oedd 'na yn siop Arthur *Nineteen and Eleven*, dwy o rai duon, un frown, ac un lwyd. 'Dos i drio honna,' meddwn gan bwyntio at yr un lwyd.

'Mae honna'n ddrutach na'r lleill, Madge. Mae'n dair punt.'

'Tria di hi tra bydda' i'n chwilio am dei.'

'Tei du.'

'Na, bydd tei du 'Nhad yn iawn ddiwrnod y cynhebrwng.' Ymhen rhyw bum munud 'roeddwn i wedi dewis tri thei a cherddais i'r ystafell gefn.

'Roedd Arthur yn dweud, 'Mae'n ffitio i'r dim, Wilias.'

Ac mi 'roedd hi ac mi 'roedd Wilias yn ddel ynddi — a theimlais 'mod i'n ei weld yn iawn am y tro cyntaf. Ac o bellteroedd clywais gloch drws y siop yn atseinio a chlywed Arthur yn dweud, 'Cym'rwch eich amser.'

'Tynna dy dei, Wilias.'

'Roedd o'n fodiau i gyd . . .

' 'Rwyt ti'n hynod o drwstan. Gad i mi drio.' Mor gynhyrfus oedd fy llais.

'Pa 'run o'r rhain wyt ti'n 'i hoffi?'

'Dewis di.'

'Yr un glas tywyll 'ma a'r smotiau gwyn. Tria fo.' Mor grynedig oedd fy llais.

'Rho di o.' Mor grynedig oedd llais Wilias ac mor grynedig wedyn oedd ei ddwylo pan afaelodd yn fy mreichiau a dweud, 'Mae popeth wedi newid, Madge.'

'Ydy,' meddwn.

Pan oeddem yn cerdded allan o'r siop dywedodd Wilias, 'Be wnawn ni, Madge?'

'Mynd am de a chael sgwrs,' atebais.

Mae'n syn o beth ar derfyn dydd y modd y mae dyn yn

cofio dechrau a diwedd holl ddigwyddiadau mawr ei fywyd ac yn llwyddo i anghofio llawer a ddigwyddodd rhwng y ddau bwynt. Ac fel y mwyafrif 'rwyf innau hefyd wedi anghofio llawer, hyd yn oed yr holl hen daeru a fu rhyngom o dro i dro. Ond ar y cyfan 'roedd Wilias a minnau'n hapusach na llawer o'n cyfoedion. Ac mor dda y gwn mai hiraeth am Wilias fydd y cur olaf y bydd raid i mi ei deimlo.

Yfory mi af i weld merch Lisie Tyddyn Hir a Dai ac os bydd hi'n awyddus i wybod fe ddweda' i'r hen stori wrthi yn y modd y mae wedi cael ei dwyn i 'nghof heddiw.

A hoffwn hefyd wneud rhywbeth a allai wneud iawn â llanc y llygaid gleision, er mwyn ei fam, am ddifaterwch teulu ei daid . . .

Erstalwm.